بقیّه وفادار

بررسی موضوع واحدی در سرتاسر
کتاب مقدس، یا مطالعه احوال
کسانیکه در هر دوره نسبت بخدا
وفادار مانده اند.

ترجمه و نگارش

ح - ب - دهقانی تفتی

کتابهای سهراب

چاپ مجدّد

تصویر پشت جلد، بقیه درخت کهنسالی را نشان می‌دهد که پس از سیل خروشان، در گرداب کوچکی، کنار رودخانهٔ زاینده رود، بجای مانده است.

تقدیم به

«بقیه وفاداری» در کلیسای خدا

— · — · — · — · — · — · —

سخن شمع به پروانه دلی باید گفت،

کاین حدیثی است که با سوختگان در گیرد

سعدی

فهرست مندرجات

موضوع	صفحه

مقدمه بر چاپ مُجدّد

شمار مسیحیان، در اغلب نقاط دنیا، به نسبت جمعیّت بسیار ناچیز است. این روزها، حتی در سرزمین‌هائی که طی تاریخ اسماً «مسیحی» نامیده می‌شده‌اند، تعداد مسیحیان روز به روز در کاهش است، بطوریکه بعضی عصر حاضر را «زمان پس از مسیحیت»[1] عنوان کرده‌اند.

در قرون گذشته دولت‌ها و ملت‌هائی بوده‌اند که خود را اسماً «مسیحی» قلمداد کرده‌اند، ولی این امر دلیل بر این نیست که شمار مسیحیان حقیقی در آن دوران‌ها بیش از زمان ما بوده‌است.

حقیقت اینست که سالکان حقیقی راه خدا را نمی‌توان مانند اتباع یک کشور و یا یک نژاد بخصوصی سرشماری کرد. واقعیت اینست که شمارکسانیکه در طول تاریخ ندای الهی را شنیده و دعوت او را پذیرفته و حاضر شده‌اند دار و ندار وحتی جان خود را در راه انجام ارادهٔ او فدا سازند همیشه در اقلیت بوده است.

کتاب حاضر، شرح حال این «اقلیت» است که در کتاب مقدس به «بقیه» نامیده شده‌اند ومأخذ آن کتابچه‌ایست بقلم «جان دروئیت»[2] به نام«بسیاری توانا نی»[3] مأخوذ از رساله اول پولس رسول به قُرنتیان که می‌فرماید:

---

1 - Post - Christian Era
2 - John Drewett
3 - Not Many Mighty

«زیرا ای برادران، دعوت خود را ملاحظه نمائیدکه بسیاری به حسب جسم، حکیم نیستید، و بسیاری توانا نی، و بسیاری شریف نی، بلکه خدا، جُهّال جهان را برگزید، تا حکما را رسوا سازد.»

اول قرنتیان ۱: ۲۶و۲۷

***

مطالب کتاب حاضر، بار اول در کنفرانس جوانان مسیحی ایران در نوروز سال ۱۳۳۱شمسی (۱۹۵۲ میلادی) در تهران به صورت چند سخنرانی ایراد گردید و سپس در همان سال متن سخنرانی‌ها که به صورت «صحبت» بود بدون تبدیل به روش کتابت به چاپ رسید. اینک که بعضی از دوستان انتشار مجدد آن را برای زمان حاضر لازم تشخیص داده‌اند، با قدری جرح و تعدیل وتصحیح اشتباهات چاپی سابق، که به صورت دست خوردگی در چاپ ملاحظه می‌گردد، در دسترس علاقمندان گزارده می‌شود.

نقل آیات از کتاب مقدس از چاپ قدیمی است. بعضی اوقات مقابله با ترجمه‌های تازه، که آن زمان موجود نبود، فهم مطالب را آسان ترخواهد کرد.

ح- ب -دهقانی تفتی

هزینه چاپ مجدد این کتاب توسط اعضاءِ خانواده و دوستان شادروان کشیش «آرتورهاودن» که سالیان درازی در ایران به خدمت خدا مشغول بود بیاد آن مرحوم پرداخت شده است.

ظهور «بقیه»

(از ابتدای تاریخ بنی اسرائیل تا امارت بابل)

عالم بشریت امروزه بر سر دو راهی ایستاده است! هیچگاه در تاریخ، جامعه بشریت با یك چنین تصمیم بزرگی که امروز با آن روبرو است رو برو نبوده است. افراد همیشه میتوانسته اند بین زندگی و مرگ یکی را انتخاب نمایند ولی هیچوقت انتحار عمومی یك نسل یا یك ملت امکان پذیر نبوده ولی امروز چنین امری امکان پذیر میباشد. کشفیات علماء چنان مسئولیتی بعهده بشر گذارده است که آدمی را از ترس و وحشت رو به جنون سوق میدهد.

جامعهٔ مسیحیت درمیان یك چنین موقعیت ووضعیت بی‌سابقه‌ای بزندگی خود ادامه میدهد.

مقصود از جامعه مسیحیت آن عده از افرادی هستند که خود را پیرو عیسی خوانده در بین ادعا های دیگر مدعی هستند که در آثار وعلائم زمانها و اتفاقات و وقایع تاریخی معنی ومقصودی نهفته است که میتوانند آنها را کشف کرده تفسیر و تعبیر نمایند و عقیده دارند که در حیات آدمی در این خلقت منظور و هدفی است که در حال انجام یافتن میباشد و آنها میتوانند آن منظور

و هدف را كشف كرده در انجام آن كمك نمايند .

كسانيكه مدعى چنين ادعائى هستند ميبايستى در برابر ادعا‌ـ
هاى خود دلائل كافى و قانع كننده ئى در دست داشته باشند .
آيا مسيحيان كه چنين ادعاهائى دارند متعصبين گمراهى هستند
كه يك مشت الفاظ روحانى كه درحقيقت بى‌معنى ميباشد برزبان
رانده خود و دنيا را در جهالت و خرافـات و گمراهى نگاـه
ميدارند ؟ و يا اينكه در حقيقت داراى بصيرت روحى و استعداد
حقيقت بينى مخصوصى ميباشند كه بدانوسيله ميتوانند در حيـات
بشرى ووقايع واتفاقات تاريخى معنى ومقصودى بيابند ؟ آيا براستى
زمام امور در دست كسى هست كه از نقشه و هدف خود واقف
بوده بداند چه ميكند ؟ اهميت زمانى كه ما در آن زندگى ميكنيم
از همين پيدا است كه هزاران هـزار و بلكه ميليونها ميليون
خلق اينگونه سئوالات را از خود و از ديگـران ميپرسند . زيرا
فقط در دوران هاى پراهميت تاريخ و مواقعى كه احتمال بوجود
آمدن اوضاع تازه ايست جماعات زياد فكر خود را بدينگونه
مسائل مشغول ميدارند . ما در دوره اى زندگى ميكنيم كه پايه
و اساس امور كه قرنها محكم و استوار بوده اكنون شكسته و
يا سست و لرزان بنظر ميرسد . در دوره اى زيست ميكنيم كه
اگر هدف و مقصودى در زندگى مى بينيم ؛ اگر در عين اغتشاش
و هرج و مرج نظم و ترتيب و نقشه ئى ملاحظه مينمائيم مسئوليت

—٤—

سنگینی بعهده داریم که آنـرا بمردمی که تشنه هدفی هستند نشان دهیم.

اگر این ادعای مسیحیان صحیح است که میگویند خدا بر تاریخ حاکم و فرمانروا است، یعنی وقایع تاریخ و اتفاقات روزانه از قلمرو او خارج نیست و ارادهٔ خود را در خلال همین اتفاقاتی که روز بروز در سرمقاله روزنامه ها میخوانیم انجام میدهد باید برای این ادعا در خود تاریخ شواهد ودلائلی موجود باشد. برای پیدا کردن چنین شواهدی باید بکتاب مقدس یعنی کتابی که در طی آن رابطهٔ خدا بـا بشر تشریح شده است رجوع کنیم. وقتی باین مقصود بکتاب مقدس رجوع میکنیم در سرتاسر آن یك موضوع واحدی را ملاحظه میکنیم که شاید قبلا آنرا ملاحظه نکرده بودیم.

محققین قرن نوزدهم در بارهٔ چگونگی تألیف وتصنیف وزمینه های تاریخی کتب مختلفه کتابمقدس یك یك تحقیقـات وسیع وعمیقی کرده اند وتحقیقات آنها امروزه اصولا پذیرفته شده است. زحمات آنها باعث شده است که ما کتابمقدس را عمیق ترمطالعه کرده حقایق آنـرا بهتر درك کرده از آن بیشتر فواید روحانی برگیریم. ولی در این راه هم مانند راه تحقیق در علوم و فلسفه بر تجزیه زیادتر از ترکیب اهمیت داده شده و البته خطر این راه معلوم و واضح است یعنی فکر آدمی متوجه جزئیات شده و

کم کم کلیات فراموش میگردد. خوشبختانه این روز ها پاندول تحقیق از نوسان یکطرفه خود برگشته و بار دیگرتوازن برقرار شده است یعنی درعین اینکه نظر بجزئیات دارند کلیات را هم ازنظر دور نمیدارند.

بطوریکه محققین امروزه عقیده دارند باوجود تعداد زیاد کتب در کتابمقدس که هر یك برای خود تاریخی جداگانه دارد یك موضوع واحدی نیز در آن نهفته است که همان موضوع از ابتدا تا انتهای کتابمقدس تعقیب میگردد. ما نیز معتقدیم که یك چنین موضوع واحدی را در کتابمقدس میتوان جستجو کرد وبکمك فهم آن موضوع، اتفاقات روزانهٔ زندگی ما بر ایمان روشن و پر معنی میگردد.

این یك موضوع واحد، هم دارای هدف است و هم دارای روش. طرح این موضوع واحد را درجلوخود می بینیم ودرمیابیم که مرحله بمرحله چگونه انجام می پذیرد. آغاز آن از خلقت دنیا است و انجام آن در کمال نهائی است. از لحاظ زمان تمام تاریخ بشریت را در بردارد واز لحاظ مکان تمام جهانرا. نقشه آن رستگار کردن بشریت است و روش آن دعوت یك اقلیت یعنی یك «بقیه» وفادار است از میان سایرین که حاضرند حقیقتاً تبعه خدای حقیقی باشند، بصدای او گوش فرا داده ارادهٔ او را بانجام رسانند؛ حاضرند مجرای نیروی نجات بخش او بشوند

و شاهد محبت بی حد و حصر او بمردم بگردند .

درزبان کتابمقدس این اقلیت « قوم خدا » نام دارند وتاریخ مضبوط این اقلیت از ابراهیم آغاز میگردد .

کتابمقدس از خلقت عالم شروع میشود . خدا که خدای محبت است مشغول آماده‌کردن منزلی جهت فرزندان خود میباشد. آدم را بصورت خود یعنی یك موجود روحانی که قادراست محبت او را پاسخ گوید میآفریند . از هر قسمت از داستان خلقت دست هنرمند با محبتی را مشاهده میکنیم که تمام احتیاجات مادّی و روحی خانواده بشری را آماده میسازد . منظور اواینست که محبت آنان باو از همانگونه باشد که محبت اوست بایشان . یعنی محبتی که از روی کمال میل، طبیعی وخود رو، و بدون هیچ شائبه باشد . نقشه وجود آنها را طوری طرح ریزی نکرده است که مثل آدم های مصنوعی و عروسك های خیمه شب بازی ارادهٔ او را ماشین وار انجام دهند و قـادر باباء کردن نباشند . آنها را طوری آفریده که اگر بخواهند میتوانند براه خود بروند وبعوض خالق خویشتن را دوست بدارند واتفاقاً همینطور هم شد . بواسطهٔ همین محبت به نفس یا عشق بخودکه معنی دیگر گناه باشد بشر از خدا دور و بیگانه گردید . بمحبتی که خدا نشان داد بی‌اعتنائی کرده آنرا ردّ نمود . بشر مخلوق است و محدودیّت هائی دارد لکن آرزوی شدید او برای خود مختاری و آزادی، ویرا علیه

آن محدودیّتها یاغی کرده است . بشر خواست خود را کاملاً آزاد کند و بمقام الوهیّت برسد از اینجهت قربانی این تکبّرمفرط خود گردید . اگر بنا بود نقشه و مقصود خدا درخلقت مواجه باشکست نشود میبایستی این بشر خود سر و یاغی و گناهکار خورد شده از نو ساخته شود . انجام این کار چگونه میسّر میشد ؟

بوسیلهٔ یکی از این دو راه یعنی یا راه زور و اجبار ویا راه ایمان و اعتقاد و همکاری . با روش اول منظور حقیقی خدا عملی نمیگردید زیرا خدا محبت آزاد وخود رو میخواهد و زور وفشار هرگز اینگونه محبت را ایجاد نمیکند . و با این روش پاسخ بشر فقط غریزی و حیوانی میگردید . روش دوم سخت تر و طولانی‌تر بود ! میبایستی با تحمل زحمت و درد و رنج یاغیان را رام کرده آنها را بانضباط شخصی عادت داد و آنها را قادر ساخت که خود از روی میل و دلخواه حاضر شوند در نقشهٔ خدا شرکت کرده همکاری نمایند . تنها خدا میتوانست روش دوم را بر گزیند زیـرا فقط او است که میداند بشر قادر است باین راه اصلاح شده نجات یابد .

آلت و وسیلهٔ نجات الهی یک اقلیت منتخبی میباشندکه محیط و تاریخ آنها را چنان آماده کرده است که ندای الهی را تمیز داده بآن پاسخ گویند . این اقلیت را در مرحله اول عبرانیان تشکیل میدادند . تاریخ این قوم هم بعلت تجربیـات عجیبی کـه

برای ایشان اتفاق افتاد وهم بسبب طرز تعبیری که از آن تجربیات بعمل آوردند در دنیا بی نظیر است.

بنظر عبرانیان تاریخ عبارت بود از مکاشفهٔ خدا بآنها. در هرگونه واقعه ای که برای آنها اتفاق میافتاد و در تمام تجرّبیات خود دست خدا را در کار میدیدند و آنها را کار خدا میدانستند. در تمام طول تاریخ خود چه لاعن شعوراً و چه با آگاهیّ کامل میدانستند که آنها سرنوشت مخصوصی داشته و با دیگر اقوام فرق دارند. اما چون بشر بودند علیه آن یاغی شدند. سرنوشت خود را درست نفهمیدند واغلب آنرا اشتباهاً تعبیر کردند، ولی پیشوایان روحانی آنها اغلب اوقات ایشان را بازخوانده، مسئولیت قوم را بآنها گوشزد میکردند. وقتی بتاریخ گذشته خود نظر میکردند باذعان این حقیقت ناچار بودند که خدا آنها را از میان مردم بطرز خاصی برگزیده مسئولیتی بآنها داده است. آنها را دعوت کرده است که قوم خاصّ خدا شده برای ظهور نجات دهندهٔ بشر که میبایستی در وقت خود بدنیا بیاید بمنزله گاهواره باشند. در مطالعات خود در این باب مکرراً باین مطلب برمیخوریم که رابطه بین آسمان و زمین بسیار دقیق است وهر آن احتمال قطع شدن دارد، بطوریکه گاهی ملاحظه میشود که فقط یك نخ دیگر این ارتباط باقی است. اغلب اوقات میبینیم فقط دستهٔ بسیار کوچکی هستند و یا فقط یکنفر باقیست که

بوسیلهٔ آنها این ارتباط برقرار بوده خدا بعالم بشریت صحبت مینماید. این وسیله ارتباط همان «بقیه وفادار» است که اکنون به بحث در تاریخ آنان میپردازیم:

موضوع «انتخاب کردن» و «برگزیدن» موضوعی است بسیار قدیمی و از همان اوایل در کتاب مقدس مشاهده میشود که گاهی یکنفر یا دسته ای از اشخاص از یك فاجعهٔ عظیمی جان سالم بدر برده اند و حال اینکه دیگران در همان فاجعه از بین رفته اند. مثلاً نوح و خانواده او که از سیلاب عظیم جان سالم بدر بردند و نیز لوط که چگونه در موقع انهدام سدوم جان سالم بدر برد (پیدایش باب ۱۹). در هر دو این اشخاص آنچه باعث نجات یافتن آنها گردید ایمان آنها بود و همین ایمان پایه مذهب حقیقی در آینده شمرده میشد. مصاحبه خدا با ابراهیم (پیدایش ۱۸ : ۲۳ تا ۳۳) که قبل از نجات لوط از سدوم اتفاق افتاد بسیار قابل ملاحظه است. دراینجا موضوع «باقیماندن» یك عده‌ای پس از محو دیگران بعلت اینکه آن چند نفر یا آن یك نفر عادل و بقیه بد کار و شریر هستند ملاحظه میگردد.

در قدیم میزان و ملاك صفات خدا صفات بشری بود ومردم فکرمیکردند که البته خدا هم چون بشر مکافات به شریران و پاداش به عادلان میدهد. قرنها طول کشید تا این عقیده از موضوع مورد بحث ما یعنی وجود «بقیه» جدا گردید. حتی در زمان عیسی خداوند این دو عقیده هنوز با هم مخلوط بود.

« یا آن هیجده نفری که برج در "سلوام" برایشان افتاده ایشان را هلاک کرد، گمان میبرید که ازجمیع مردمان ساکن اورشلیم خطاکار تر بودند؟ حاشا؛بلکه شما را میگویم که اگر توبه نکنید همگی شما همچنین هلاک خواهید شد ... »

لوقا ۱۸ ـ ٤ و ٥

یهودیانی که این سئوال را از عیسی کردند از تاریخ ملت خود درسهائی را که میبایـد آموخته باشند نیاموخته بودند.

نویسندگان مختلفه کتابمقدس در نوشتن تاریخ ملت خود یکی پس از دیگری موضوع « بقیه و فادار » را تأکید کرده اند و نیز این موضوع را بیان میکنند که وقایع تاریخی بنی اسرائیل غـالباً از اینجهت اتفاق می افتاد که ایمان ایشان را بخدا بیازماید و نشان میدهند که هرگز ایمان بخدا کار آسانی نبوده است.

اگر روزی اکثریت قوم از وضع مذهبی خود راضی بشمـار میآمد و فکر میکرد کـه بحد اعلای اخلاقیات رسیده است در همان اوقات نهضت کوچکی شروع میشد که یکی از انبیاء آنرا رهبری مینمود و مقصود این بود که قوم را تکان داده، به جنبش درآورد و آنها را به ترقی روحی و اخلاقی هدایت نماید. عـده کمی باین میزانهای تازه روحانی واخلاقی پاسخ مثبت داده بآنها میگرویدند و خدا بوسیلهٔ همین اقلیّت کار میکرد. پاداش دنیـائی وزمینی این اقلیت عبارت بود از : تنهائی، مورد سوء تفاهم واقع

—۱۱—

شدن ، جفا دیدن و شهید شدن . ولی آنها باین نتیجه رسیدند که تا برای اینگونه پاداشها حاضر نباشند نخواهند توانست مجرای محبت نجات بخش برای دیگران بگردند .

از نوح و خانوادهٔ او یعنی آن اقلیت بسیار ناچیزی که پس از فاجعهٔ طوفان باقیماندند،موضوع انتخاب شدن از سام به ابرام میرسد . تاریخ ثبت شده عبرانیان ازابرام آغازمیگردد . بنابراین عبرانیان « بقیه » ای از بشر هستند که خدا بوسیلهٔ ایشان کار میکند . از این رو استکه میتوان فهمید که حضرت متی مقصودی دارد،وقتی نسب نامهٔ عیسی را بابراهیم میرساند،زیرا که ابراهیم برای یهود بیش از یك شخصیتی است که در ۱۷۰۰ سال پیش از مسیح میزیسته . ابراهیم پدر ملت بشمارمیآید . اسم ابراهیم علامتی است از « یك نظریه بخصوص » نسبت بخدا . وعده هائی که آتیه قوم و در نتیجه آینده مذهب حقیقی را ضمانت میکند،با براهیم داده شده است . اهمیت ابراهیم برای نویسندگان کتابمقدس از این پیدا است که اسم او بغیر از سفر پیدایش ۴۲ مرتبه درعهد عتیق و ۷۴ بار درعهد جدید مذکور شده است . بنابراین خوبست بحث خود را ازموقعیکه ابراهیم ازطرف خدا دعوت میشود شروع کنیم .

« و خداوند بابرام گفت از ولایت خود و از مولد خویش و از خانهٔ پدر خود بسوی زمینی که بتو نشان دهم بیرون شو و از تو امتی عظیم پیدا کنم و ترا برکت دهم و نام ترا بزرگ

سازم و تو برکت خواهی بود . و برکت دهم بآنانیکه ترا مبارك خوانند و لعنت کنم بآنکه ترا ملعون خواند و از تو جمیع قبایل جهان برکت خواهند یافت . »

سفر پیدایش ۱۲ : ۱ تا ۳

شاید تفسیری که از آیات بالا دررساله بعبرانیان باب ۱۱ : ۸ تا ۱۰ یافت میشود در اینجا برای ما کمك باشد .

« بایمان ابراهیم چون خوانده شد اطاعت نمود وبیرون رفت بسمت آن مکانی که میبابست بمیراث یابد ، پس بیرون آمد و نمیدانست بکجا میرود . و بایمان در زمین وعده مثل زمین بیگانه غربت پذیرفت ودرخیمه ها با اسحق ویعقوب که درمیراث همین وعده شریك بودند مسکن نمود . زآنروکه مترقب شهر با بنیاد بود که معمار وسازندهٔ آن خدا است . »

موضوع مهم ایمان ابراهیم است . این ایمان برای ما نمونه است ، اگر پاسخ ندای الهی را درعمل نداده و حاضر نشده بود سرزمین آباء و اجدادی و قوم وخویش و خانهٔ خودرا ترك کند البته بوعده ئی که باو داده شده بود نمیرسید . در این روز ها که تأمین آتیه اینقدر حائز اهمیت میباشد زندگی بروش ابراهیم کردن بسیار دشوار است،ولی تجربهٔ کسانیکه با این ایمان زندگی کرده اند نشان داده و میدهد که تنها راه مطمئن تأمین آتیه همین راه میباشد . وضع دنیای امروز بطور طعن آمیزی

نتیجهٔ زحمات بشر را درفراهم کردن وسایل تأمین آتیه درمقابل مخاطرات احتمالی نشان میدهد. هرچه بشر بیشتر برای تأمین آتیه کوشش میکند، آتیه او بیش ازپیش مخاطره انگیز ترمیگردد. ابراهیم نمونه کسانی است که سرچشمه تأمین زندگی خودرا در خدا می بینند و نه در دنیا. آنهائیکه عقیده دارند خدا جهت زندگی ایشان نقشه ئی دارد و بالاخره اتفاقات هرچه باشد این نقشه انجام خواهد یافت، بر ترس غالب آمده، معنی این فرمایش عیسی را بخوبی درك کرده اند که میفرماید:

« وهرکه جان خود را بجهت من وانجیل برباد دهد آنرا برهاند .. »

مرقس ۸ : ۳۵

مُزد یك چنین ایمان برکت الهی است.

« .... و برکت دهم بآنانیکه ترا مبارك خوانند و لعنت کنم بآنکه ترا ملعون خواند »

پیدایش ۱۲ : ۳

کسانیکه در ایمان با ابراهیم شریك شده مُحرّك و سرچشمه این ایمان یعنی خدا را دریابند دربرکت آن نیزشریك خواهند شد و کسانیکه از فهم آن إبا نمایند از آن برکت محروم خواهند شد. وقتی پطرس ایمان خودرا بالوهیت عیسی اقرار میکند نیز یك چنین وعده ئی باو داده میشود:

« ... و کلید های ملکوت آسمانرا بتو میسپارم و آنچه برزمین ببندی در آسمان بسته گردد و آنچه در زمین گشائی در آسمان گشاده شود ... »

متی ۱۶ : ۱۹

ایمان ابراهیم چنان بود که خدا توانست آتیه قوم خود را باو بسپارد. ایمان پطرس هم چنان بود که خداوند آتیه کلیسای خود را توانست باو بسپارد.

وعده ئی که بابراهیم داده شد بیحدّ و حصر بود. « و در تو تمام قبایل زمین برکت خواهند یافت » ولی تا چه اندازه درتاریخ یهود برای انجام این وعده مخالفت شد! اما با تمام مخالفت ها چنانکه خواهیم دید هیچگاه کاملا اثر این وعده محو و نابود نگردید. بدترین خبط و خطا و تجربه ئی که جامعه های مذهبی بدان گرفتار میشوند این است که فکر کنند که آنها ازطرف خدا برای خاطر خودشان انتخاب شده اند، بعوض اینکه بفهمند، که برای خاطر دیگران انتخاب شده اند. چون بنی اسرائیل بالاخره در این خطا گرفتار شده تسلیم تجربه گردید، در انجام مأموریتی که خدا بایشان داده بود شکست خوردند. همین خطا و تجربه بارها از توسعه انجیل جلوگیری بعمل آورده است. علّت اینکه کلیسا و حتی بنی اسرائیل کاملاً در انجام ارادهٔ خدا شکست نخورده اند اینست که همیشه در میان آنها اقلیّتی وجود داشته

است که انجام ارادهٔ خدا را بهرقیمتی بوده است خواستار بوده اند. در هیچ زمانی در تاریخ نبوده است که خدا خادمین حقیقی نداشته باشد.

بنا براین چنین احساس میشود که نویسندگان سفر پیدایش ابراهیم و ذُرّیت او را « بقیّتی » از اولاد نوح میدانند و توجه ما بطور مخصوص بآن قسمت از این خانواده معطوف میگردد که بمصر رفتند.

باز در اینجا ملاحظه میکنیم که چگونه این عِدّه ، این اقلیت برهبری موسی پس از اتفاقات عجیب و غریب از مصر بیرون میروند و سالیان درازی را دربیابان بسر برده برای زندگی بهتری بسختی تربیت میگردند. در این دوره اثری از وجود یك « بقیّه » دیده نمیشود زیراکه تمام قوم بطورمخصوص خود را «قوم خاص» میدانستند و جدا بودن آنها از اقوام دیگر باین موضوع کمك میکرد.

پس از این مرحله اولین اشاره ئی که بوجود یك اقلّیتی که گرد هم جمع شده و عقاید مذهبی عالیتری ابراز داشته و آنرا حفظ نموده اند در "اول پادشاهان" باب ۱۹ است یعنی وقتی که به ایلیای نبی گفته میشود که در اسرائیل هفت هزار نفرباقی هستند که زانو های ایشان نزد بعل خم نشده و دهن های ایشان او را نبوسیده است (آیه۱۸)

☆☆☆

اینك عواملی راکه باعث تجدید بروزیك اقلیت یا « بقیه » گردید بطور اختصار مورد بررسی قرار میدهیم :

بنی اسرائیل در دورانی که در صحرا و بیابان بسر میبردند چادر نشین بودند. کمتر در جای ثابتی منزل میکردند و اغلب خانه بدوش جا بجا میشدند و از اینجهت جمع کردن ثروت های هنگفت غیر ممکن بود. و نیز چون با دیگر اقوام تماس نداشته وسالها جدا ازدیگران بسر برده بودند یك حس وحدت ویگانگی مخصوصی در آنها ایجاد شده بود. نیروئی که ایشانرا نسبت بهم متحد نگاهداشته بود تبعیت آنها ازخدای آنها یعنی «یهوه» بود. واقعهٔ برجسته این دوره مکاشفه یهوه بموسی بود بر کوه سینا و دادن احکام عشره (سفرخروج بابهای ۱۹ و ۲۰) که این احکام را رویهمرفته میتوان بدو قسمت تقسیم نمود :

قسمت اول شامل وظایف قوم است بخدا و قسمت دوم حاوی قوانین راجع بطرز سلوك در اجتماع میباشد. در این شریعت اصول بخصوصی نهفته بود که اطاعت آن بر هر اسرائیلی واجب و لازم بود. آن اصول بدینقرار است :

(۱) خدای آنها خدای یکتائی بود که انتظارات مخصوصی از آنها داشت. او نمیتواند رقیب و همتائی داشته باشد و تنها او را باید پرستش کرد.

(۲) عهد یا پیمانیکه بین خدا و قوم بنی اسرائیل بسته شده

دائمی خواهد بود .

(۳) وظایف مخصوصی از آنها که خدای اسرائیل را پرستش میکردند انتظار میرفت بدین معنی که آن وظایف از نظر اخلاقی ، عالی تر از وظایف سایر ملل بود .

اما وقتی دوران بیابان گردی تمام شد و بنی اسرائیل وارد کنعان شدند وضعیت فرق کرد . اهالی کنعان مردمی زارع بودند وسطح تمدنشان از عبرانیان عالیتر بود . مذهب آنها مانند مذهب اغلب اقوامی که کارشان زراعت و گله داری است بر روی اساس « تولید » بنا شده بود ومنظور این بود که بدان وسیله آب وهوا مساعد شده نتیجه محصول رضایت بخش گردد . « بعلیم » خدایان محلی بودند و برای اطمینان بفراوانی و خوبی محصول لازم بود بآنها قربانی گذرانده شود . اکثریت عبرانیان بخدای خود یعنی یهوه خیانت کرده تسلیم خدایان کنعانیان شدند . تمام اعتراضات و مبارزه های "ایلیا" و انبیاء بعد از او علیه این ارتداد وخیانت ها بود . طبیعتاً هرقدر این انبیاء میزانهای اخلاقی و انتظاراتشان از مردم بنام یهوه عالیتر بود تعداد کسانیکه بدعوت آنها پاسخ میدادند کمتر میگردید . "ایلیا" روزی بقدری بد بین ومأیوس گردید که فکر میکرد بغیر از خود او، پیرو وفادار یهوه کس دیگری باقی نمانده است . ولی همان هفت هزار نفری هم که باقی مانده بودند نسبت بتمامی قوم یك اقلیت کوچکی بودند . بنابراین تمامی

قوم، دیگر نمیتوانستند وسیلهٔ انجام ارادهٔ خدا باشند. اما از میان قوم اقلّیتی باقیمانده بود که مذهب برای ایشان ارثی نبود، بلکه فعالیت زنده ای بود که در برابر ایمان از خود نشان میدادند.

« و واقع خواهد شد هرکه از شمشیر "حزائیل" رهائی یابد "ییهو" او را بقتل خواهد رسانید. اما در اسرائیل هفت هزار نفر را باقی خواهم گذاشت که تمامی زانو های ایشان نزد "بعل" خم نشده و تمامی دهنهای ایشان او را نبوسیده است. »

اول پادشاهان ۱۹ آیات ۱۷ و۱۸

با وجود تمام مساعی مذهبی و اخلاقی "ایلیا" و سپس "عاموس" وضع مذهب در بنی اسرائیل تا هفتاد سال بعد روزبروز بدترمیگردید. دراین دوره هفتاد سال اوضاع اقتصادی بسیار خوب و ثروت های هنگفت جمع گردیده بود ولی شاید بهمین علت سطح اخلاقیات بطور بسیار فاحشی تنزل کرده بود. هم "ایلیا" وهم "عاموس" برضد این فرضیه که وفور نعمت وثروت نشانهٔ محبت وعلاقهٔ الهی بشخص است بمبارزه پرداختند. "ایلیا" انهدام سلطنت "آحاب" پادشاه را باو اعلام میدارد (اول پادشاهان باب ۲۱ آیه ۲۳ ببعد). "عاموس" نبی نیز بنی اسرائیل را با سایر اقوام محکوم میسازد (عاموس باب ۲ آیه۶). قصد هردو این مردان خدا این بودکه سطح اخلاقیات و علاقه بمذهب حقیقی را در میان قوم خود بالا ببرند و آن

عده کمی که بصدای آنها گوش داده از تعالیم ایشان پیروی کرده از گذشته توبه نمودند تشکیل « بقیه » ئی دادند که آتیه بسته بوجود آنها بود. بدون شك رهبران سیاسی و حتی مذهبی قوم با آنها مخالف بوده آنها را متعصب ویحتمل مجنون می پنداشتند. کاهنان یهوه از سرسخت ترین دشمنان "عاموس" بودند.

"عاموس" آخرین نبی بود که در کشور اسرائیل یعنی قسمت شمال فلسطین نبوّت نمود. دورهٔ نبوت او از ۷۶۰ تا ۷۴۶ قبل از میلاد بود. با مرگ "یَرُبعام" دوم معاصر "عاموس" که بسال ۷۴۳ قبل از میلاد اتفاق افتاد انحطاط اسرائیل یعنی کشور شمالی آغاز گردیده تا اینکه بسال ۷۲۱ کاملاً مضمحل شد. "سامره" که پایتخت بود غارت شده کشور تحت تسلط آسوریها قرار گرفت. چنین بنظر میرسد که میبایستی کشور یهودا یعنی قسمت جنوبی فلسطین باصطلاح رُل « باقیماندگی » را بازی کند. ولی چنانکه خواهیم دید این کشور هم اُصول دین را ازدست داد و فقط یکعده معدود یعنی یك اقلیت بود که نسبت به یهوه وفادار ماندند. فتح کشور شمالی بوسیله آسور در کشور جنوبی یعنی یهودا تأثیرات سریعی داشت. در آنجا "حزقیا" ابن "آحاز" پادشاه سلطنت میکرد و دست باصلاحاتی زد. چنانکه نویسنده کتاب دوم پادشاهان درحق او گوید:

« ..... او مکانهای بلند را برداشت و تماثیل را شکست

و اشیره را قطع نمود و مار برنجین را که موسی ساخته بود خورد کرد . . . او بر یهوه خدای اسرائیل توکل نمود و بعد از او از جمیع پادشاهان یهودا کسی مثل او نبود ونه ازآنانیکه قبل از او بودند . . . » (۲ پادشاهان ۱۸ : ٤ و ٥)

اشعیاء نامی که هم نبی بود و هم کارمند دولت از اصلاحات حزقیا سخت پشتیبانی کرد و بکمك همدیگر موجب ایجاد یك جنبش مذهبی گردیدند واطمینان داشتند که آن اصلاحات کشورشان را از سقوط یعنی سرنوشتی که همسایه شمالی آنها بآن دچار شده بود نجات خواهد داد . موقعیکه لشکریان آسور بطورناگهانی از در دروازه های اورشلیم پراکنده گردیدند امید ایشان قوی تر گردید . (دوم پادشاهان ۱۹ : ۳۲ تا ۳۷)

ولی واضح است که اشعیاء هیچگونه اطمینانی نسبت به بقاء کشورش بطور مستقل نداشت . زیرا اینقدر شعورسیاسی واستعداد درك حقایق را داشت که بفهمدکه یك کشور ضعیف وکوچکی مانند یهودا که در میان امپراتوریهای بزرگی مانند آسور و مصر و بابل قرار گرفته آتیه درخشانی نخواهد داشت . آنچه او از آن، بیش از هرچیز دیگر میترسید این بود که مردم با یکی از این دولتهای قوی عقد اتحاد ببندند و بدینوسیله منظور اصلی را که برای آن تشکیل ملتی داده بودند یعنی تعلیم یهوه پرستی وخداشناسی بدنیا را از یاد ببرند . از اینجهت او عده ای را بدورخود

جمع کرده مشغول تعلیم و تربیت آنها گردید تا بتوانند حقیقت را در هر موقعیتی و در میان هرگونه حادثه‌ئی حفظ نمایند.

« شهادت را بهم به پیچ و شریعترا (۱) در شاگردانم مختوم ساز و من برای خداوندکه روی خود را از خاندان یعقوب مخفی میسازد انتظارکشیده امیدوار اوخواهم بود. اینك من وپسرانیکه خداوند بمن داده است از جانب "یهوه صبایوت" که درکوه "صهیون" ساکن است بجهت اسرائیل آیات و علامات هستیم. »

(اشعیاء ۸ : ۱٦ تا ۱۸)

یکی ازمحققین معروف عهد عتیق موسوم به (جرج آدم اسمیت) (۲) راجع بچند آیه فوق چنین مینگارد:

« این اولین بار است، در تاریخ، که یك جامعه مذهبی جدا از روابط خانواده‌گی، قبیله ئی، و ملی بروز میکند..... اکنون بوسیله این آیات منظور بابهای هفتم وهشتم اشعیاء مکشوف وکاملا معلوم میگردد. همچنانکه پادشاه بعلت بی لیاقتی باید جای خود را به « مسیح » بدهد ملت نیز باید جای خود را به «کلیسا» بدهد (۳). در باب هفتم "پادشاه" نالایق و ناتوان است و وعده

۱ـ ترجمه بهتر این کلمه اینجا « تعلیم » است زیرا (شریعت) قوانین موسی را بیاد میاورد و حال اینکه در اینجا مقصود تعالیم خود اشعیاء میباشد.

2- George Adam Smith

۳ـ هرچند عبارات « مسیح » و « کلیسا » عبارات مسیحی بنظر میرسند ولی برای قوم یهود هم افاده معنی میکنند.

"مسیح" داده میشود.. در باب هشتم "قوم" نالایق و ناتوان هستند و نبی از آنها رو برگردانیده از میان کسانیکه حکم خدا راکه هم "پادشاه" وهم "قوم" آنرا رد کرده اند می پذیرند "کلیسائی" تشکیل میدهد.» (۱)

بنابراین در یهودا یك «باقیمانده ئی» وجود داشت که مُقدّم بر هرچیز از خدا تَبعیّت میکرد و نه از پادشاه و یا میهن. این عده اقلیتی بودند که در حال انتظار بسر میبردند و منتظر یك فرمانروای ایده آلی بودند که ظهور کند و یك سلطنت کاملی از عدالت و صلح برپا نماید. از اشعیاء ببعد «بقیه» همیشه نظربآینده و پایان تاریخ بشریت دارد.

پس از مرگ حزقیا در سال ٦٩٢ قبل از میلاد پسر جوانش "منسی" به تخت نشست. در کتاب دوم پادشاهان باب ۲۱ راجع باو چنین میخوانیم که ٥٥ سال سلطنت کرد و در اینمدت تمام اصلاحات پدرش را واژگون گردانید. در این دوره دیگر از اشعیاء خبری نداریم و احتمال قوی میرود که شهید شده باشد.

دوران سلطنت "آمون" پسر "منسی" دیری نپائید و پس از او پسرش "یوشیا" پادشاه شد (٦٣٧ - ٦٠٨ ق.م.).

"یوشیا" دست باصلاحاتی زد و این اصلاحات برای یهودا قبل از تبعید شدن آخرین فرصت بود. وصف اصلاحات "یوشیا" در

۱- جلد اول صفحه ۱۲٦ چاپ پنجم

کتاب دوم پادشاهان باب ۲۲ و ۲۳ نوشته شده است که چگونه نسخه ئی ازشریعت موسی پیدا شد و دولت خواست ملت را مجبور باطاعت از شریعت بکند. "یوشیا" بدینوسیله خواست فاصلهٔ عمیقی که بین «اقلّیت» و مردم ایجاد شده بود با همسطح کردن اخلاقیات اکثریت با اقلیت از بین ببرد ولی افسوس که مساعی او نیز محکوم بشکست بود زیرا با قانون گذاری وفشار نمیتوان سطح اخلاقیات مردم را بالا برد. اگر مردم تغییر و تبدیل و اصلاحات را باطناً خواستار نباشند در زیر فشار ممکن است موقتاً ساکت باشند ولی بزودی عکس العمل آن بروز خواهدکرد. چنانکه جانشینان "یوشیا" (یهوآحاز) و (یهویاقیم) که بعد از پدر بتخت نشستند «آنچه را که در نظر خداوند ناپسند بود بعمل آوردند» یعنی باصطلاح هرچه پدر شان رشته اصلاحات را رشته بود آنها پنبه کردند. امثال این واقعه در زندگی تمام ملل اتفاق افتاده و می افتد.

یکی ازانبیاء بزرگ دیگر یعنی "ارمیا" با "یوشیا" معاصر بود وبدون شك در اصلاحات بوی کمك میکرد و انتظارات زیادی داشت ولی اواخر عمر نتایج کاملا برعکس آن اصلاحات را که با فشار تحمیل شده بود بچشم خود مشاهده نمود. هرچند شاید از شدت بت پرستی بطور ظاهر کاسته شده بود ولی بت پرستی های خطرناك باطنی دیگری جای آنها را گرفته بود. چون اورشلیم شهرمقدس

شمرده میشد و معبد مرکز پرستش بود مردم بشهر و بمعبد اهمیت فوق العاده داده بعوض خدا آنها را پرستش میکردند بطوریکه "ارمیا" فریاد میزند :

« بسخنان دروغ توکل منمائید ومگوئید که هیکل یهوه ، هیکل یهوه ؛ هیکل یهوه اینست . » ارمیا ۱۷ : ٤

ارمیاء نبی با اشکال فراوان میخواست بمردم تعلیم دهد که خدا مقدم برهرچیز، رفتار نیکو میخواهد و حتی پرستش هم اگر از روی صدق وصفا وعملی نباشد خدا از آن بیزار است .

"ارمیا" هرچه بیشتر سعی میکرد حقایق را مجسم سازد از محبوبیتش کاسته میگردید و ازخلق جدا میشد . این رانده شدن از مردم و تنهائی که "ارمیا" بآن گرفتار شد باعث این گردید که او را بیشتر متوجه خدا کرده بعمق مذهب حقیقی یعنی رابطه عمیقی بین روح بشر و خدا واقف گرداند . شریعت و قانون در مذهب محکوم بزوال است زیرا نمیتوان با فشار قوانینی که از قلب بشر برنخاسته است از خارج به زور به او تحمیل نمود . مذهب حقیقی باید بر اساس رابطهٔ شخصی و باطنی با خدا بنا شده باشد بطوریکه خدا بتواند مستقیماً با ارادهٔ بشری صحبت کرده او را بهمکاری با خود دعوت کند . این بصیرت عجیب روحانی که نصیب "ارمیا" گردید در یکی از زیبا ترین قسمت های کتابمقدس بقلم خود وی برای ما باقیمانده است :

« خداوند میگوید اینك ایامی میآید که با خـاندان اسرائیل و خاندان یهودا عهد تازه ای خواهم بست . . . و بار دیگر کسی بهمسایه اش و شخصی ببرادرش تعلیم نخواهد داد و نخواهد گفت خداوند را بشناس زیرا خداوند میگوید جمیع ایشان از خورد وبزرگ مرا خواهند شناخت چونکه عصیان ایشان را خواهم آمرزید و گناه ایشانرا دیگر بیاد نخواهم آورد . »

ارمیا ۳۱ : ۳۱ تا ۳٤

از آیات بالا معلوم است که چگونه یکنفر انسان ، وجدان و ذهن خود را برای درك حقیقت خدا باز نگاهداشته و از آنراه حقیقت تازه ئی بر او کشف شده و اوبآن جواب مثبت داده است. آنگاه بدانوسیله گام دیگری در تاریخ مذهب بـرداشته شده و بشریت را یك قدم دیگر بحقیقت نزدیکتر کرده است . ولی او تنها نیست، بلکه چند نفر حرف او را قبول کرده با وی همعقیده و هم عمل میگردند. "ارمیا" توانست بفهمد که ادامه مذهب بسته بادامه "هیکل" و یا حتی "شهر مقدس" نیست بلکه فقط و فقط منوط بوفاداری قلوب افراد بشر است . اصولاً شاید لازم باشد که تکیه گاه هائی را که بشر برای ایمان بخدا بکار میبرده است ازمیان بُرد تا اینکه آدمی یاد بگیرد فقط وفقط بخدا اطمینان کند وبس. ارمیا آخرین نبی قبل از تبعید بود. خوداو با اسیران بمصر برده شد ولی اغلب از معاصرینش با تبعیدیهای دیگر به بابل بـاسارت

رفتند، اما تعالیم او پس از وی کاملاً فراموش شد. شاید آن شاعر بزرگی که در بابل راجع به خادم دردمند نوشت «خوار و نزد مردمان مردود و صاحب غمها و رنج دیده» (۱) از زندگی ارمیا الهام یافته بود.

۱ـ اشعیاء ۵۳

(۲)

نجات یافتند تا خدمت کنند

اسارت در بابل برای حفظ هویّت بنی اسرائیل سنگ محك بود. شاید هیچ ملت دیگری بیك چنین آزمایشی گرفتار نشده باشد. بسیاری از یهودیان مذهبی امید از دست داده و تصور میکردند که خدا ایشانرا ترك نموده است. زیرا چنانکه میدانیم عقیده بنی اسرائیل این بود که خدا "خدای" ایشان است. خدا خدای ابراهیم واسحق و یعقوب است. خدا خدای اسرائیل و یهودا است. خدا بطور عجیبی بآب و خاك فلسطین مربوط بود و دوری از این آب و خاك دوری از خدا بود. شاید آیات ذیل مأخوذه از مزامیربهترین نمونه افکار مذکوره درفوق باشد:

« ای خدای من جانم در من منحنی شد. بنا بر این ترا از زمین اُردن یاد خواهم کرد. ازکوههای "حرمون" وازجبل "مصغر". »

مزمور ۴۲ آیه ۶

« دشمنانم بکوبیدگی در استخوانهایم مرا ملامت میکنند. چونکه همه روزه مرا میگویند خدای توکجاست؟. »

مزمور ۴۲ آیه ۱۰

ولی در خلال این ناامیدیها و سرگشتگی ها چند نفری پیدا

شدند که ازتلخی اسارت درسهای تازه آموختند ومطالب جدیدی راجع بخدا یاد گرفتند. ما دراینجا بذکر دو نفر از انبیاء یعنی "حزقیال" ونویسنده باب های ٤٠ تا ٥٥ کتاب اشعیاء (١) میپردازیم و خواهیم دید که تعلیمات این دو نفر چه اثراتی در مذهب بنی اسرائیل داشته‌است.

تجربیات اولیه هر دو نفر فوق الذکر یکی بود. هر دو در سرزمین بیگانه و بت پرست اسیر و از مقدسات ملی و مذهبی خود دور بودند ولی این حقیقت بهردو کشف گردید که این دوری لازمه اش این نیست که خدا نیز ازآنها دور و جدا باشد. از این موضوع هم عمیق تر شده درك کردند که تبعید از وطن و اسارت در زمین بیگانه بهترین وسیله تصفیه روحی و اخلاقی میباشد که خدا برای تربیت قوم خاص و برگزیده خود بکاربرده است و پس از خلاص شدن از این تنبیه عادلانه دوباره بمصاحبت و رفاقت با او درخواهند آمد. هردونفر نبی عقیده باینکه ؛ عده‌ای باقی خواهند ماند که نسبت بخدا و احکام او بهرقیمتی ودرخلال هرگونه موقعیتی باشد،وفادار خواهند ماند را پذیرفته بآن ایمان داشتند. ولی با وجود این اختلاف عقیده هائی نیز درمیان بود که اینك بذکر آنها میپردازیم:

١ــ اغلب ازدانشمندان را عقیده براین است که بابهای مذکور را نویسنده گمنامی نوشته است که برای تسهیل کار ویرا « اشعیاء دوم » مینامند.

"حزقیال" که هم نبی بود و هم کاهن در دوران اول اسارت میزیست. وقتی که نوشته های او را میخوانیم اولین موضوعی که برای ما کشف میشود احساس تقدس و جلال وجبروت خدا است. از نوشته های او چنین برمیآید که نویسنده بخوبی آگاه است که خدا همانقدر که در اورشلیم است در بابل نیز هست.

او مافوق جمیع ملل عالم است وبشر برای این بدنیا آمده است که او را پرستش کرده خدمت نماید. مانند سَلَفِ خود "اشعیاءِ اورشلیمی"، "حزقیال" نیز پس از احساس تقدس وجبروت خدا به حقارت و ناچیزی خود پی میبرد. این حقیقت را نیز میداند که برای بدبختی خود هیچکس دیگر را نمیتواند مسئول بشناسد غیر از شخص خود را. بعقیدهٔ او تجربیاتی که در اسارت نصیب قوم گردید، حس مسئولیت شخصی را که ارمیا نیز بآن معتقد بود بیش از پیش تأکید نمود. این موضوع از این آیات پیدا است:

« هرکه گناه کند او خواهد مرد. پسر متحمل گناه پدرش نخواهد بود و پدر متحمل گناه پسرش نخواهد بود. عدالت مرد عادل بر خودش خواهد بود وشرارت مرد شریر برخودش خواهد بود. » حزقیال نبی ۱۸ : ۲۰

متلاشی شدن حکومت وحدت ملی را ازبین برده بود بنابراین از این پس افراد هریك بنوبهٔ خود مسئولیت فردی دارند. چون خود این نبی فشار گناه را حس کرده بود در گفته های خود

احتیاج مبرم قوم را بتولد تازه تأکید کرده است. پیش از اینکه خدا بتواند ایشان را بکار ببرد، آنها باید از نو تولد بشوند. بنا براین "حزقیال" برای بیدار کردن و عبرت دادن قوم در اسارت ظهور کرده بود. اگر سخنان او را شنیده و توبه کنند رهائی خواهند یافت و اگرنه در ناپاکی هلاك خواهند شد. مسئولیت او فقط این بود که موضوع را باصطلاح صاف و پوست کنده برای ایشان بیان کند.

« وحینیکه من بمرد شریر گفته باشم، که البته خواهی مرد؛ اگر تو او را تهدید نکنی وسخن نگوئی تا آن شریر را ازطریق زشت اوتهدید نموده اورا زنده سازی، آنگاه‌آن شریر درگناهش خواهد مُرد. اما خون او را از دست تو خواهم طلبید. »

حزقیال ۳ : ۱۸

اما "حزقیال" مسئولیت خود را محدود به بنی اسرائیل میدانست و کاری بسایر اقوام نداشت.

« و مرا گفت ای پسر انسان بیا و نزد خاندان اسرائیل رفته کلام مرا برای ایشان بیان کن زیرا که نزد امت غامض زبان و ثقیل لسان فرستاده نشدی بلکه نزد خاندان اسرائیل. »

حزقیال ۳ : ٤ و ٥

منظور از مثل معروف « دره استخوانهای مرده » نیز احیاء شدن قوم بنی اسرائیل است (حزقیال باب ۳۷) بنا براین واضح

است که بنظر حزقیال قوم بنی اسرائیل آن "بقیه وفاداری" هستند که گمراه شده و دوباره باید احیاء گردند و وسیلهٔ آن اطاعت از شریعت و بناکردن معبد و یا هیکل بود در اورشلیم.

"حزقیال" نسبت باقوام دیگر چه نظریه ئی داشت؟ آیا نجات منحصر به یهود بود و یا سایرین نیز میتوانستند در آن شرکت نمایند؟ در هشت باب کتاب خود (بابهای ۲۵ـ۳۲) حزقیال راجع به ملل دیگر چنین قضاوت مینماید: چهار کشور همسایه بنی اسرائیل که نسبتاً ضعیف بودند یعنی (آمون ـ موآب ـ اَدوم و سرزمین فلسطینیان) همه برای اینکه بنی اسرائیل در صلح و آرامش بسر برد منهدم خواهند گردید. سه ملت بزرگتر یعنی صور و صیدون و مصر نیزبرای اینکه دیگر بنی اسرائیل را تهدید نکنند ضعیف خواهند شد. حزقیال دشمن مرموز دیگری را بنام «جوج» از طرف شمال در نظر گرفته عقیده دارد که او نیز وقتی لشگریانش را بطرف بنی‌اسرائیل که احیاء خواهد گردید متوجه سازد شکست خواهد خورد و سپاهیان منهدم خواهند گردید. منظور از این کشتار عمومی (۳۹: ۱ تا ۲۰) اینست که مردم قدرت یهوه و محبت او را برای قوم خاصی که انتخاب کرده است ملاحظه نمایند؛ تا معلوم گردد که خراب شدن "هیکل" و باسیری رفتن قوم بنی اسرائیل به بابل از ضعف یهوه نبوده بلکه او میخواسته است که قوم را بدینوسیله تنبیه نماید تا آنها از بوتهٔ

امتحان خالص تر درآیند.

« و من جلال خود را در میان امتها قرار خواهم داد وجمیع امتها داوری مرا که آنرا اجرا خواهم داشت و دست مرا که بر ایشان فرو خواهم آورد مشاهده خواهند نمود و خاندان اسرائیل از آن روز و بعد خواهند دانست که یهوه خدای ایشان من هستم و امتها خواهند دانست که خاندان اسرائیل بسبب گناه خودشان جلای وطن گردیدند زیرا چونکه بمن خیانت ورزیدند من روی خود را از ایشان پوشانیدم وایشان را بدست ستمکاران ایشان تسلیم نمودم که جمیع ایشان بشمشیر افتادند. »

حزقیال ۳۹ : ۲۱ تا ۲۳

چون بنظر حزقیال علامت ظاهری اسرائیل احیاء شده "هیکلی" خواهد بود که بمراتب از "هیکل" سلیمان مجلل تر و با شکوه تر خواهد بود نُه باب آخر کتاب خود را صرف بیان جزئیات آن "هیکل" و تشریفات آن مینماید.

نقشه حزقیال بنا کردن دولتی بود مطابق با اصول و عقاید مذهبی و خدائی (تئوکراتیك) که نقطه مرکزی آن عبادت اجتماعی در "هیکل" بود، وفرمانروایان آن دولت کاهن‌ها میشدند. مطابق این نقشه حزقیال عقیده داشت که قوم بنی اسرائیل بار دیگر در مُصاحبت ورفاقتی که با یهوه داشت برخواهد گشت و بآن خو خواهد گرفت. بخصوص اینکه از تجربیات بسیار تلخی درگذشته

پند گرفته بود .

« و با ایشان عهد سلامتی خواهم بست که برای ایشان عهد جاودانی خواهد بود و ایشانرا مقیم ساخته خواهم افزود و مُقَدَس خویش را تا ابد الاباد در میان ایشان قرار خواهم داد و مسکن من بر ایشان خواهد بود و من خدای ایشان خواهم بود وایشان قوم من خواهند بود . پس چون مُقَدَس من در میان ایشان تا بابد برقرار بوده باشد، آنگاه امتها خواهند دانست که من یَهُوَه هستم که اسرائیل را تقدیس مینمایم . »

حزقیال ۳۷ : ۲٦ تا ۲۸

معلوم نیست که حزقیال خود میدانست که تعالیم او مذهب بنی اسرائیل را متوجه خود قوم خواهد کرد و روحیه خدمت به دیگران و تبشیر را از میان خواهد بُرد یا نه ؟ البته حزقیال در آنجا که بتولد تازه اهمیت میداد کاملاً صحیح بود زیرا خدا با کسانیکه تولد تازه نیافته وعوض نشده اند کاری نمیتواند بکند ولی تأکید او بر مراسم و تشریفات امر را مشتبه ساخت و باعث گردید که مردم مذهب را خود یك "هدفی" بدانند.و حال اینکه مذهب فقط وسیله ایست برای انجام ارادهٔ خدا در دنیا . بنی اسرائیل نجات یافته بود تا اینکه وسیله گردد تا دنیا نجات یابد و هر راه و رسمی که این موضوع را تعلیم و تأکید نمیکرد اشتباه بود .

وظیفهٔ بنی اسرائیل پس ازبازگشت از اسارت بسیار سخت بود و زحمات آنها در پاك نگاهداشتن مذهب یهوه و از همه مهمتر در حفظ تورات بسیار قابل تقدیر است ولی بد بختانه،حتی از تنبیه«اسارت نیز یاد نگرفته بودند که ذخایر مذهبی خود را با سایر مللی که از نژاد آنها نیستند تقسیم کرده شرکت نمایند. بخصوص اینکه تعالیم و رؤیا های نبی بزرگ دیگری را چون «اشعیاء دوم» نیز در دست داشتند که اکنون ما بطور اختصار بآن میپردازیم:

☆☆☆

عقیده به «بقیه وفادار» و وظیفه آن که نجات بشر باشد، در "عهد عتیق" در تعالیم "اشعیاء دوم" باوج کمال خود میرسد. برای درك حقیقی زندگی خداوند مسیح و خدمت او در این دنیا،مطالعه "اشعیاء دوم" اهمیت بسزائی دارد که بعدها به آن برخواهیم خورد.

"اشعیاء دوم" در سالهای آخر اسارت دربابل میزیست ونبوت مینمود و زمان کورش کبیر،امپراتور بزرگ ایران را که بابل را شکست داد و در نتیجه بنی اسرائیل قادر به باز گشت بوطن گردیدند درك نمود.

" اشعیاء دوم" نبی ئی نبود که پیغام او حاکی از انهدام وخرابی باشد، بلکه مردی بود که چنان احساس قوی نسبت به نیروی محبت خدا داشت که اطمینان داشت خوبی بربدی غلبه کرده نقشه خدا بالاخره عملی خواهد گردید. کتاب او حاوی مطالبی روح افزا و شادی آور است و بهمین علت کلیسای اسقفی در کتاب نماز خود آن قسمت ها را برای قرائت در کلیسا پس ازعید قیام تعیین نموده است. "اشعیاء دوم" هم مانند "حزقیال" اسارت را تنبیهی از طرف خدا جهت مُصَفّا کردن قوم میداند. راهی جز راه تحمل درد ورنج نبود که آنها را بخدا بازگرداند. صفت یگانه وبی‌نظیر خدا در نظر "اشعیاء دوم" محبت او بود. تنبیه اسرائیل هم نماینده غضب و داوری خدا نبود، بلکه نماینده محبت حقیقی و رحمت او بود جهت قوم خود. اشعیاء دوم تشخیص میدهد که خدائی‌که در عین حال قادر مطلق ورحیم ومهربان است یگانه وبی‌مثال میباشد. او خدای کل کاینات است و بجز او خدائی دیگر نیست.

« پیش از من خدائی مصور نشده و بعد از من هم نخواهد شد. من یهوه هستم و غیر از من نجات دهنده ئی نیست. »

اشعیاء ۴۳ آیه ۱۰ و ۱۱

بعبارت دیگر خدای اسرائیل خدای تمامی جهان است وتمامی مردم زمین آفریده او و قوم او میباشند. در عین حال این خدای قادر و توانا و پاك چون شبانی است که گوسفندان

خود را نگاهداری مینماید.

« او مثل شبان گلهٔ خود را خواهد چرانید و ببازوی خود بَره ها را جمع کرده بآغوش خویش خواهد گرفت وشیردهندگان را بملایمت رهبری خواهد کرد. »

(اشعیاء ٤٠ : ١١)

در اینجا بخوبی درهم آمیختن "قوّت و محبت" خدا که وجه تمایز یهودیت و مسیحیت با سایر مذاهب است معلوم میگردد. بنا براین خود بنی اسرائیل کاری نکرده بودند که سزاوار نجات باشند. "تولد تازه" یافتن و عوض شدن آنها فقط و فقط منوط بمحبت الهی بود. ولی محبت چنانکه "اشعیاء" بخوبی فهمید پس از پذیرفتن باید پس داده شود. اگر خدا اسرائیل را دوست داشت اسرائیل نیز باید خدا را دوست بدارند واین دوست داشتن ومحبت کردن باید در خدمت بدیگران بمنصهٔ ظهور برسد. خدا ایشان را بیش از سایر اقوام محبت ننمود و بنا براین پیغام محبت خدا باید بتمامی اقوام زمین برسد.

« ای جمیع کرانهای زمین بمن توجه نمائید و نجات یابید زیرا من خدا هستم و دیگری نیست. بذات خود قسم خوردم و این کلام بعدالت از دهانم صادرگشته بر نخواهد گشت که هر زانو پیش من خم خواهد شد وهرزبان بمن قسم خواهد خورد. »

(اشعیاء ٤٥ : ٢٢ و ٢٣)

و نیز میفرماید :

« من که یهوه هستم ترا بعدالت خوانده ام و دست تراگرفته ترا نگاه خواهم داشت و ترا عهد قوم ونور امتها خواهم گردانید، تا چشمان کوران را بگشائی و اسیرانرا از زندان و نشینندگان در ظلمت را از محبس بیرون آوری . »

(اشعیاء ٤٢ : ٦ و ٧)

بنابراین

۸ اسرائیل دعوت شده است که « بقیه وفادار » و وسیلهٔ بشارت محبت خدا باشد بکلّ جهان . اکنون یکی از اسراری را که نه فقط در تعالیم اشعیاء دوم نهفته است بلکه در دل طبیعت واصل حیات هم وجود دارد مطالعه میکنیم و آن اسراری است که در تحمل مصائب و درد و رنج نهفته است .

بنا بر تعالیم "اشعیاء" این « بقیه وفادار » بعوض اینکه کمتر از سایرین درد و رنج ببینند و یا اصلاً متحمل آن نگردند بیشتر از اشخاصی که در حقیقت مستحق عذاب دیدن هستند عذاب خواهند دید .

"اشعیاء" میبایستی از تجربهٔ خود فهمیده باشد که هرکس به نسبت محبتی که دارد میبایستی متحمل رنج ودرد شود . باین سئوال خواجه سرای حبشی مرقوم در اعمال رسولان باب ۸ آیه ۳٤ که راجع بباب ٥۳ اشعیاء میباشد یعنی « نبی اینرا دربارهٔ که میگوید دربارهٔ خود یا دربارهٔ کسی دیگر؟ » هنوزجواب قاطعی داده نشده است .

دور نیست تعمق وتفکر نبی درتاریخ قوم خود و درزندگی انبیاء قبل از خود مانند"هوشع" اشعیاء و ارمیاء و دیگران باو فهمانده باشد که اشخاص خوب بالاخره نفرت اشخاص بد را نسبت بخود برخواهند انگیخت وبدینوسیله درد ورنج وحتی مرگ را برخود هموار خواهند نمود . این بود سرنوشت بزرگترین انبیاء و آن عدّه از یهودیانی که نسبت به یهوه وفادار مانده درزمان پادشاهی "منسی" بقتل رسیدند . (۲ پادشاهان ۲۱ : ۱۶)

"اشعیاء" از این اُصول حقایق تاریخی چنین نتیجه میگیرد که خادمیکه مطیع کامل یهوه باشد ـ اگر چنین کسی روزی یافت شود ـ از هر بشر دیگری بیشتر متحمل درد و رنج و زحمت خواهد شد . از این نقطه نظر است که باب ۵۳ اشعیاء بوسیلهٔ تمام مسیحیان بمنزله پیشگوئی از زندگی عیسی مسیح قبول شده است . خداوند مسیح نیز خود" خادم رنجکش اشعیاء را" بهترین نمونه"مسیح" دانسته خود را با او برابر میشمارد .

یکی از استـادان معروف علم الهی (۱) مفاهیم مختلفه ئی که از وظیفه و عمل « بقیه » در تعلیم دو نبی فوق الذکر یعنی "حزقیال" و"اشعیاء دوم" یافت میشود بدینطور خلاصه میکند :

« بنا براین در تعلیمات هر دو این انبیاء عقیده» بیك « بقیه وفادار » وجود دارد، و این عقیده درمذهب بطورکلی پس از آنان

1- T. W. Manson, the teaching of Jesus

تأثیر بسزائی بخشیده است . عقیدهٔ "حزقیال" نماینده عقاید یهودیت وعقیده "اشعیاء دوم" نمایندهٔ مسیحیت تبشیری است . چنانکه ملاحظه میشود عقیده راجع بوجود به یك « بقیه وفادار » دراینجا بدو شعبه تقسیم میگردد؛ یعنی "بقیه نجات یافته" و "بقیه نجات دهنده". بقیه وفادار هرجا باشد بیکی از این دو صورت درمیآید و باصطلاح مذهب یا مُقیّد به مراسم وتشریفاتی (فریسی وار) ویا تبشیری وانجیلی (رسالتی) خواهد گردید . »

بعبارت دیگر « بقیه نجات یافته » در اورشلیم می نشیند و منتظر است که امتها بیایند و اجازهٔ دخول بخواهند ولی « بقیه نجات دهنده » باقصیٰ بلاد عالم رفته گمشدگان را برستگاری میرسانند .

☆☆☆

پس از بازگشت از اسارت و بنای اورشلیم تا زمان خداوند عیسی چه تحولاتی در این دو عقیده راجع به « بقیه » رخ داد ؟ از کتب "عزرا" و "نحمیا" و از نبوتهای "حجّی" و "زکریا" چنین استنباط میگردد که نقشه های "حزقیال" در بنا کردن اورشلیم و "هیکل" و احیاء رسوم قدیمه کم و بیش عملی گردید . اشکالات بسیاری در پیش بود که بطور جدّی باآنها روبرو شدند . وقتی ازاسارت برگشتند اورشلیم و هیکل یهوه خرابه ئی بیش نبود . مردمی که باسارت

نرفته بودند با سایر اقوام مخلوط شده بودند. محصول رضایت بخش نبود و در نتیجه قحطی بدی رخ داد. بنا براین واضح بود که برای ابقاء یهودیت برقراری مقررات و انضباط سختی لازم بود. قبول شریعت و اطاعت از آن اجباری بود و یهودی بودن امتیازی شمرده میشد. بنا بر این علت اهمیت فوق العاده ئی که در آن ایام بشریعت داده میشود معلوم میگردد. و نیز واضح است که هر قدر پایه اطاعت از شریعت ومیزان اخلاقیات عالیتر میگردید از عدهٔ مُریدان کاسته میشد. "حجّی" از عدم تمایل مردم در اینکه از وقت حود جهت ساختمان هیکل یهوه صرف کنند گله مینماید. (حجی ۱: ۹) تا خانهٔ خدا ساخته نشده است اگرخانه های خود را بسازند بد بختی از آنها بر نخواهد تافت.

از نوشته های این انبیاء چنین بر میآید که استقبال قوم پس از اسارت، از اطاعت از شریعت، و قوانین عزرا، بیش از استقبال مردم زمان "حزقیا" و"هوشع" نبوده است. ولی یك "اقلیتی" بودندکه رؤیا های حزقیال را قبول کرده، محکم بشریعت چسبیده، آنرا بکار میبردند، و وجود خود را برای آن میخواستند. ایمان این اقلیت در خلال سطور اغلب ازمزامیری که پس از اسارت برشتهٔ تحریر آمده است پیدا است.

اینك چند نمونه از آنها را در اینجا ذکر میکنیم و چنانکه ملاحظه میشود آن اقلیت خود را "نجات یافته" میدانست وهیچ نوع

مسئولیتی جهت دنیای غیر یهودی و ملل دیگر احساس نمیکرد.

« خداوند پادشاه است تا ابدالاباد. امتها از زمین او هلاك خواهند شد.» مزمور۱۰: ۱٦

« قوم ها را در زیر ما مغلوب خواهد ساخت و طایفه ها را در زیر پایهای ما.» مزمور ٤٧: ۳

« تسبیحات بلند خدا در دهان ایشان باشد و شمشیر دودمه در دست ایشان تا از امتها انتقام بکشند و تأدیبها بر طوایف بنمایند.» مزمور ۱٤۹: ٦و۷

مزامیر دیگری نیز از همین دوره باقیست که نماینده همین افکار انتقام جویانه میباشد، که سرائیدن آنها جهت مسیحیان خالی از اشکال نیست مانند آیه ۸ مزمور ۱۰۹ که میگوید:

« ایام عمرش کم شود ومنصب اورا دیگری ضبط نماید. فرزندان او یتیم بشوند و زوجهٔ وی بیوه گردد و فرزندان او آواره شده گدائی بکنند.»

مطالعه اینگونه سرود های تسبیح که بعد از بناشدن مجدد هیکل سرائیده میشد ثابت میکنند که سرایندگان آن متعصبین و فدائیان سرسخت یهودی بوده اندکه خدا را فقط برای خود دانسته او را در نفرت خود جهت سایر اقوام شریك میدانستند.

بنابراین آثار و علائم، وجود یك اقلیت کوچکی که خود را نجات یافته تصور کرده روز بروز درتعصب خود سرسخت ترمیشدند

ازنوشته های زمان پس ازاسارت بخوبی پیدا است. اطاعت خشك از شریعت و قوانین مُدَوَّنه هدف آنها بود و هرچه زمان از روی آن میگذشت سرسخت تر میگردید، بطوریکه بعد ها حتی تعبیر و تفسیر شریعت هم بجز بوسیلهٔ عدهٔ مخصوصی برای هر کس مجاز نبود. بنا براین اطاعت ازجزئیات قوانین وشریعت یك نوع تَکبّری در اشخاص ایجاد مینمود، بطوریکه هر قدر انسان وسواسی تر و خشك تر میگردید مهمتر جلوه میکرد. عده زیادی چنان دربند قوانین شدند و جزئیات آنرا اطاعت میکردند که مثلاً در زمان ارمیا شریعت برای اینان مقام هیکل را پیداکرد. یعنی درحقیقت خدای ایشان شریعت گردیده بود. کسانیکه معتقد بعقیده بالا، یعنی اطاعت دقیق از قوانین و شرایع بودند، چنانکه میدانیم در زمان مسیح فریسیان بودند. نَسَب فریسیان بآن عده از اشخاصی میرسیدکه در زمان تسلط یونانیان علیه نفوذ فرهنگ یونانی قیام کرده، حتی درزمان "انتیاکوس اپیفانوس" (۱۷۶ ـ ۱۶۹ ق.م) بهمدستی عدهٔ دیگری باسم "مکابیان" (۱) قیام مُسلّحانه کردند، ولی بعد ها بعلل مذهبی با آنها نیزنساختند. مقصود آنها اطاعت از کلمه بکلمه قوانین و شریعت بود و مرگ را برشکستن قوانین ترجیح میدادند و علت جدائی آنها هم از "مکابیان" این بود که حاضر نشدند روز شنبه بجنگ بروند چون

1- Maccabeans

روز شنبه سبت یهوه بود و در آن روز هرنوع فعّالیتی ممنوع شده بود. بنابراین فریسیان باصطلاح از اشخاص استخوان دار قوم بودند که برای خود حزبی تشکیل داده و علیه هرگونه نفوذ بیگانه چه یونانی و چه رومی سخت مقاومت میورزیدند ومیخواستند شعائر ملی خود را با جدیت هرچه تماعتر حفظ نمایند. بغیر از یکی دو تا از آنها بقیه با عیسی مسیح مخالفت ورزیده ازسرسخت ترین مخالفین او بودند. فریسیان را صفات بسیار خوبی بود ولی ایشان دچار یك اشتباه بزرگی شده بودند وآن تَکبّر زیاد از اندازهٔ بود بجهت اطاعت از شریعت و همین امر باعث میگردید که رابطهٔ خود را با غیریهودیان کاملاً قطع نمایند. اطمینان ایشان بخودشان بود و یقین داشتند که با سعی و کوشش خود میتوانند برای خویشتن نجات تحصیل نمایند. همین تکبّر و جدائی در آنها نیز باعث گردید که مسیحی را هم که اینقدر در انتظار او بودند موقعیکه درمیان آنها پیدا شد نشناسند. تعلیم "اشعیاء دوم" را پاك از یاد برده بودند که گفته بود مسیح چون خادم زحمتکشی خواهد بود و «بقیه» ازهمه اقوام باید تشکیل شود ونه فقط ازقوم بنی‌اسرائیل. آنها تصور اینرا هم نمیتوانستند کرد که مسیح ممکن است بشکل غلام و خادم رنجکش ظهور کند و جان خود را برای بسیاری فدا سازد.

☆☆☆

آیا تعلیم "اشعیاء دوم" راجع "بخادم رنجکش" در مدت پنج قرنی که بین بازگشت از اسارت و آمدن مسیح فاصله بود بکلی ازیاد رفته بود؟

خدمت برجسته ای که اُسرای بازگشته ازبابل بمذهب حقیقی انجام دادند حفظ کتب مقدسه بخصوص بابهای ۴۰-۵۵ کتاب اشعیاء بود که در ادبیات مذهبی دنیا رتبهٔ اول را حائز بوده از ذخایر بسیار ذیقیمت عالم بشری میباشد. عده ئی که فرصت خواندن آنرا داشتند البته معنی آنرا درك میکردند، چنانکه از گوشه و کنار اعتراضاتی برضد آن تعصب شدید قومی و نژادی وحفظ نجات برای خود میشد که امروزه آن اعتراضات موجود میباشد. مثلاً کتاب "روت" که منظور نوشته شدن آن اعتراض علیه فرمان "عزرا" مبنی بر غدغن کردن ازدواج با غیر یهودیان بود (عزرا ۱:۹ تا۱۷:۱۰) نویسنده در طی داستان تاریخی شیرینی بیان میکند که حتی "شاه داود" از ازدواج مخلوط بوجود آمده بود یعنی از "بوَعز اسرائیلی" و "روت مُوآبی" که پسر آنها "عوبید" پدر بزرگ داود پادشاه گردید که هر یهودی نام او را محترم و مُقدّس میشمارد (روت ۱۳:٤ تاآخر) اگر روت که زنی بیگانه بود بوسیله خدا انتخاب شد که جدهٔ داود پادشاه باشد بنا براین هر گونه سیاستی که ازدواج مخلوط را غلط بداند خود دچار اشتباه میباشد.

یك اعتراض دیگر برضد گوشه گیری و جدا بودن اسرائیل از دیگران در زکریا باب ۹: ۱ تا ۱۰ یافت میشود که پس از

داوری همسایگان اسرائیل پیشگوئی میشود که فلسطینیان با اسرائیل درهم خواهند آمیخت، آنگاه عصر مسیحائی آغازخواهد شد. در آیه ۹ این قسمت بیان ورود مسیح را باورشلیم میا بیم که خداوند برای اثبات مسیحائی خود بدان عمل نمود. نویسنده این قسمت هم مانند "اشعیاء دوم" معتقد بود که مسیح باید شخص حلیم و مسکینی باشد یعنی پادشاهی که بر کُرّه الاغی سوار شود نه بر اسبی.

کتاب "یونس" بهترین مُنقّد اُسرای بازگشته و انجام ندادن وظیفه ایشان است در رساندن پیغام خداوند بامتها. ازچگونگی بیان وسبك نگارش این کتاب کوچك چنین برمیآید که درحدود ۲۵۰ سال پیش از مسیح نوشته شده است. به "یونس" امر میشود که به "نینوا" پایتخت آسور که همه بت پرست بودند رفته موعظه کند ولی او از اطاعت کردن سرپیچی مینماید. بعوض بکنار دریا رفته برای مسافرت بآسیا کشتی میگیرد. طوفان در میگیرد و کشتی شکسته میشوند و مسافرین "یونس" را که بنظر ایشان باعث خطر بوده است بدریا میاندازند. ماهی بـزرگی او را میبلعد و پس از سه روز او را قی میکنند. او آنوقت میفهمد که بهیچوجه نمیشود از وظیفه اش فرارکند، از این جهت به "نینوا" رفته موعظه میکند و مردم باو ایمان میآورند. ولی "یونس" از ایمان آوردن آنها خوشحال نمیشود بلکه غمگین شده حاضر نمیشود نعمات

روحانی خود را با بیگانگان در میان نهاده باهم لذت ببرند. در خاتمه کتاب خدا باو میفهماند که بشر هرکه میخواهد باشد در نزد او عزیز است و بنابراین مردم "نینوا" همانقدر عزیز هستند که بنی اسرائیل.

« و آیا دل من بجهت نینوا شهر بزرگ نسوزد که در آن بیشتر از صد و بیست هزار کس میباشند که درمیان راست وچپ تشخیص نتوانند داد و نیز بهایم بسیار. » یونس ٤:١١

بنابراین دلایل کافی دردست است که میرساند که پس ازبازگشت از تبعید و اسارت نیز در میان بنی اسرائیل "اقلیتی" باقیمانده بود که منتظر مسیح حقیقی بودند. در انتظار مسیحی بودند غیر از آن مسیح پرطمطراقی که اکثریت اسرائیل انتظار او را میکشید. آن "اقلیت" در انتظار مسیحی بودند که قوم را متوجه وظیفهٔ فراموش شده ایشان بنماید یعنی تبشیر تمامی جهان. احتمال قوی دارد که بیشتر از اعضاء این "اقلیت" غیر رسمی در ناحیه‌ای در شمال جلیل جمع شده بودند و باحتمال قوی مریم و یوسف و دوستان ایشان از این جمله بودند. در انجیل لوقا باب ۲ آیات ۲۵ و ۳۸ عباراتی چون « منتظر تسلی اسرائیل » و « بهمهٔ منتظرین نجات در اورشلیم تکلم نمود » یافت میشود و باحتمال نزدیك به یقین "شمعون پیر" و "حنا" از این عده بودند. پس ملاحظه میشودکه خدا هیچگاه خود را بدون شاهد باقی نگذاشته است.

در میان فقرا کسانی بودند که کودکی را که در "بیت لحم" تولد یافت "پسر خدا" شناخته ویرا « نوری که کشف حجاب برای امتها کند و قوم تو اسرائیل را جلال بود » (۱) میدانستند.

این فصل را میتوانیم چنین خلاصه کنیم: پس از بازگشت از از اسارت راجع به مسیح و شخص او وکار او درمیان یهودیان دو فرضیه وجود داشت. طبقهٔ اول "فریسیانِ ارُتد کس" بودند که بنظر ایشان مسیح چون پادشاه پرجلالی خواهد آمدکه قوم خود را از زیر نفوذ رومیان منفور رهائی خواهد داد. آنگاه تمامی جهان بمقام حقیقی یهود پی خواهند برد و همه طوایف آرزو و التماس خواهندکرد که درملکوت مسیحائی وارد شوند. حتی لمس کردن گوشهٔ جامه یك یهودی امتیازی خواهد بود. طبقهٔ دوم دستهٔ گمنامی بودند که شاید فقط در "جلیل" میزیستند که عقیده داشتند که مسیحی خواهد آمد که با نیروی محبت حکومت خواهدکرد و در قلمرو سلطنت خود یهودی وغیر یهودی را یکسان خواهد پذیرفت. عیسی در میان این طبقه بدنیا آمد.

۱ـ انجیل لوقا ۲ : ۳۲

(۳)

مسیح خادم

مطابق انجیل، از همان اول، در چگونگی مفهومی که عیسی راجع به « مسیح » دارد و نقشی که میبایستی در دنیا بعهده بگیرد و سیرت او شکّی موجود نیست.

حضرت مرقس در انجیل خود از "اشعیاء دوم" نقل وقولی کرده آنرا وصف حال یحیی تعمید دهنده میداند.

« صدای ندا کننده‌ئی در بیابان که راه خداوند را مهیا سازید و طرق او را راست نمائید. »

(اشعیاء ۳:٤٠ ـ مرقس ۳:۱)

انجیل نویس نظرما را به "اشعیاء دوم" معطوف میسازد وبنابراین ما را برای پذیرفتن مسیحی که چون "بنده رنجکش" باشد مهیا میکند.

در انجیل مرقس فوراً پس از این گفتار، از تعمید و تجربهٔ مسیح یاد میشود. در موقع تعمید، عیسی این کلمات را میشنود: « تو پسر حبیب من هستی که از تو خوشنودم. » (مرقس ۱۱:۱) آیه‌ئی مانند این نیز در اشعیاء باب ٤۲ آیه ۱ یعنی آیه اول نخستین قسمت از قسمتهای معروف به « آواز هـای بنده » یافت میشود. احتمال قوی دارد که این قسمت درآنموقع درذهن عیسی مسیح منعکس شده باشد و بنا براین شایسته است در اینجا

ذکر گردد :

« اینك بندهٔ من که او را دستگیری نمودم و برگزیدهٔ من که جانم از او خوشنود است . من روح خود را بر او مینهم تا انصاف را برای امتها صادر سازد . او فریاد نخواهد زد و آواز خود را بلند نخواهد نمود وآنرا در کوچه ها نخواهد شنوانید . نی‌خورد شده را نخواهد شکست و فتیلهٔ ضعیف را خاموش نخواهد ساخت تا عدالت را براستی صادر گرداند . »

(اشعیاء ٤٢ : ١ ـ ٣)

آیات فوق شرح حال کسی است که آرام و فروتن و صبور بوده بشر ضعیف و گناهکار را دوست میدارد، ولی با همهٔ اینها چون خادم برگزیدهٔ خدا است دنیا را داوری خواهد کرد . مردم در او « مردی کامل » را مشاهده میکنند که بامقایسهٔ خود با او ضعف هایشان آشکار میگردد . محبت از هیچ راه دیگری نمیتواند حقیقتاً داوری نماید مگر اینکه با اشخاص بحکم اینکه افراد بوده هریك شخصیتی دارند رفتار نماید . هرقدر هم اشخاص فاسد شده باشند محبت حقیقی هنوز خوبیهائی در آنها ملاحظه مینماید و بآنها بآن نظری نگاه میکند که "باید باشند" و نه بآن وضعی که اکنون بآن گرفتارند . نی خورد شده ممکن است ضعیف باشد؛ فتیلهٔ ضعیف ممکن است تقریباً خاموش شده باشد ولی در هر دو هنوز آثار حیات باقیست ووظیفهٔ محبت الهی احیاء کردن وتقویت

نمودن است و نه خورد کردن و از بین بردن .

عیسی که به نجات دهنده بودن دعوت شده بود آنرا قبول مینماید وبوسیلهٔ اطاعت کامل ازارادهٔ پدر بشریت را بمقام اصلی وحقیقی خود در نظر خدا باز میگرداند .

عیسی مسیح پس از شنیدن صدای خدا آنرا اطاعت کرده با تعمید آنرا مُهر مینماید وسپس نقشهٔ مبارزهٔ خود را طرح ریزی مینماید . روشی که برای توسعه و اعلام ملکوت بکار میرود نباید برخلاف طبیعت و اصل آن ملکوت باشد . نه میتوان مردم را با رشوه داخل آن ملکوت گردانید و نه با اجبار ونه با خدعه و فریب و حیله.

کسانیکه وارد ملکوت میگردند میبایستی کاملاً از روی فهم و ادراک و چشمهای باز و ارادهٔ آزاد خود وارد شوند و از نتایج تصمیم خود کاملا اطلاع داشته باشند . گویا ترتیب تجربیات مسیح در بیابان در انجیل حضرت متی منطقی تر باشد . چنانکه خواهیم دید منظور هر یک از این تجربیات این بود که رابطهٔ مسیح را باخدا وخلق بهمزده آنرا بوضع دیگری درآورد . باکمی تعمق خواهیم فهمید که اگر عیسی مسیح ازهریک از این تجربیات شکست خورده بود وضع ملکوت او کاملاً فرق میکرد .

تجربهٔ اول این بود که سنگها را بنان تبدیل نماید . رابطهٔکه این تجربه با مردم داشت این بود که عیسی مسیح با مخلوق خدا

طوری رفتار کند که گوئی احتیاجات آنها تنها و یا اکثراً احتیاجات مادّی میباشد. البته زیر بار این تجربه نرفتن ابداً دلیل بر این نیست که احتیاجات مادّی بشر در نظر عیسی اهمیتی ندارد. از سرتاسر زندگی او پیدا است که چقدر برای محتاجان و مریضان زحمت میکشید و در فکر ایشان بود. اما اگر ایـن تجربه را قبول کرده بود چنان وانمود کرده تعلیم داده بود که گوئی ملکوت خدا « خوردن و آشامیدن » است و حال اینکه طبیعت حقیقی آدمی ایـن اصل را نمی پذیرد. اگر مـادّیات بورود در ملکوت کمك میکرد که میبایستی ثروتمندان همه داخل ملکوت بشوند و حال اینکه عیسی مسیح ورود ایشان را با ثروتشان بسیار دشوار و بلکه غیر ممکن میدانست. رابطهٔ که این تجربه مسیح با خدا دارد از "سفر تثنیه" باب ۸ آیه ۳ یعنی از همـان محلی که جواب عیسی از آنجا گرفته شده است معلوم میگردد. یعنی آنچه که درحقیقت اهمیت دارد اطاعت از قوانین خدا است. « بلکه بهر کلمه ایکه از دهان خداوند صادر شود انسان زنده میشود » وآنچه ازدهان خدا صادر میشود قوانین او است. تمام باب ۸ "تثنیه" حاکی از این است که بشر باید خـدا را اطاعت نماید و بیان میکند که اجر و مزد آن فـراوانی و امنیت است و سرپیچی و طغیان از آن خرابی و انهدام.

تجربهٔ دوم نیز مانند تجربهٔ اول دارای دو جنبه میبـاشد.

جنبهٔ بشری آن اینست که مسیح قبول کند که ملکوت برروی زود باوری و ساده لوحی مردم بنا شود. معجزه در اکثریت مردم حتی موقتاً هم شده مؤثر واقع می گردد. ولی اگر عیسی مسیح قبول کرده بود، حقیقتاً مثل این بود که به نیروی ذهنی و عقل بشری بی اعتنائی کرده بخرافات زیاد تر اهمیت داده باشد و بنا براین شخصیت حقیقی آدمی را انکار کرده باشد. ملکوتی که آدمی نتواند بکمك عالیترین استعداد های خود درآن وارد شود ولی مجبور باشد با کار های خارق العاده و باصطلاح «عجایب غرائب» داخل آن گردد ملکوت خدا نتواند بود. ازصفحات انجیل معلوم است که عیسی مسیح همیشه مواظب بود که مردم محض معجزات او فقط باو ایمان نیاورند. همواره میگفت که آنچه او را قادر بانجام چنین کار هائی میکرد نیروئی خدائی بود که برای نجات و شفاء دیگران در او فعالیت مینمود و اینکه نتیجهٔ کار او در حقیقت بسته بایمان اشخاص نیز بود. جنبهٔ خدائی این تجربه اطمینان است. جواب عیسی مکتوب در انجیل متی باب ٤ آیه ٧ نقل و قول از "سفر تثنیه" باب ٦ آیه ١٦ میباشد.

«یهوه خدای خود را میآزمائید چنانکه اورا در"مسا" آزمودید.»

و شرح این آزمودن خدا در سفر خروج باب ١٧ مکتوب است و معنی آن واضح است: آدمی باید بخدا کاملاً اطمینان داشته باشد. بشر حق ندارد از خدا بخواهد که با معجزات و علامات

و کارهای خارق العاده وجود خود را باو ثابت نموده قدرت نمائی نماید. با خدا نمیتوان مثل یك همقطار رفتار نمود.

تجربه سوم، از سایرتجربه ها مُزوّرانه تر است. تجربه اینست که عیسای مسیح شرایط شیطان را قبول کرده باآنها فرمانروائی نماید. بیك عبارت دیگر تجربهٔ سوم را میتوان چنین شرح داد:

« اگرمیزانهای اخلاقی خود را پائین آورده هم سطح جهانیان شدی و همرنگ جماعت گردیدی جمیع سلطنت های دنیا از آن تو خواهد شد.» در طی عهد عتیق معلوم است که عبرانیان تا چه اندازه هردم میخواستند از موازین دینی و اخلاقی خود دست برداشته تحت نفوذ همسایگان خود قرار گیرند و چگونه هرچند صباحی انبیائی ظاهر شده آنها را از همرنگ محیط شدن نهی کرده اند. بنا براین اگر عیسی مسیح این تجربه را قبول میکرد عدهٔ زیادی بدور او جمع میشدند. ملیّون متعصب یهودی حاضر بودند عقب هرکس که وعده میداد ایشانرا از زیر بار قیمومت وعُبودیت رُم خلاص سازد بروند. ولی یك چنین حکومتی حکومت این دنیا بود و عیسی برای این نوع حکومت ها نیامده بود.

عیسای مسیح آنقدر از تاریخ ملت خود مسبوق بودکه بداند که در این دنیا تأسیس ملکوت کامل و حکومت بی عیب ممکن نیست و میدانست که تنها راه ترقی مذهبی واخلاقی وحتی پیشرفت سیاسی اینست که مردم اشعهٔ ئی از فروغ ملکوت خدا و عدالت

او را ببینند.

اگر عیسی تسلیم این تجربه شده و خود را داخل قوای سیاسی این دنیا کرده بود روحانیت و حقیقت را فدا کرده دنیا را از اطمینان کامل بروحانیت و حقیقت محروم ساخته بود.

« اول ملکوت خدا و عدالت او را بطلبید که سایر چیز ها برای شما مزید خواهد شد.»

عصاره و خلاصه تجربه سوم را میتوان چنین بیان کرد که اگر بشر بسعی وکوشش خود یك سازمان صحیح سیاسی واجتماعی بوجود آورد، ملکوت عدالت خود بخود ایجاد خواهد گردید. این تجربه نیز مانند دو تجربهٔ دیگر دوجنبه دارد. جنبهٔ خدائی این تجربه، بیوفائی است نسبت بخدا. « بوی گفت اگر افتاده مرا سجده کنی همانا این همه را بتو بخشم.» (متی ٤:٩) پرستش کردن قوای دولتی تجربه ایست بسیار عمومی و قدیمی. وقتی بشر نسبت بخدای تعالی بیوفا شده از پرستش او سرپیچید به پرستش خود میپردازد و این معنی باشکال مختلفه ظهور میکند یعنی پرستش جامعه ـ ملت ـ طبقه بخصوصی که شخص بآن متعلق است. خود را بیکی از این واحد ها تسلیم میکند باامید اینکه امنیّت و هدف و منظوری در زندگی بدست آورد، ولی نتیجهٔ این راه بجز سرگشتگی و نومیدی چیز دیگری نخواهد بود. « خداوند خدای خود را سجده کن

و او را فقط عبادت نما. » برای بیان و اثبات منظور خدا جهت بشر جواب دیگری بجز همین جمله که عیسی ادا کرد وجود نداشت.

☆☆☆

اینك اصول و باصطلاح "قانون اساسی ملکوت خدا" از جانب خدا، پذیرفته گردیده و روش کار و برنامه معلوم شده است. عیسای مسیح اولین عضو این ملکوت شده هرگونه شرایط نادرست و مصنوعی و پست را جهت عضویت رد کرده است. اشخاصی که میخواهند با او اعضاء این ملکوت بگردند میبایستی اطمینان کامل، باو که پادشاه این ملکوت است، داشته از وی اطاعت محض بنمایند.

هر عضو ملکوت بسهم خود میتواند انتظار این را داشته باشد که خدا تمام احتیاجات او را برخواهد آورد، ولی این امر دلیل بر آن نیست که او از جمیع خطرها و بدبختی های این زندگی در امان خواهد ماند. برعکس قوای شرارت سعی بلیغ مبذول خواهند داشت که ویرا خسته و وامانده سازند و از "مقصود" بازش دارند. از اینرو اغلب اعضاء ملکوت بیش از سایرین دچار تحمل درد و رنج و زحمت خواهند شد. اگر زمانی با این تجربه گرفتار شویم که بخواهیم بخدا بگوئیم: اگر ما این کار را بکنیم آیا تو آن کار را انجام میدهی؟ بدانیم که اینطور چانه زدن با خدا تسلیم تجربه شیطان شدن است. یعنی آنطور

تجربه ئی که بنی اسرائیل در بیابان "مَسا" بآن دچار گردیدند. خدا از ما تسلیم بلا شرط و اطاعت مطلق میخواهد و تازه وقتیکه اینرا انجام دادیم غلامان بی منفعت خواهیم بود.

سپس عیسی در جلیل خدمت خود را آغاز میکند. بر طبق انجیل لوقا تکیه کلام اولین وعظ خود را از اشعیاء باب ٦١ آیه ١ و ٢ یعنی نبوّتی که راجع بآمدن مسیح است انتخاب مینماید: « روح خداوند برمن است زیراکه مرا مَسح کرد تا فقیرانرا بشارت دهم و مرا فرستاد تا شکسته دلان را شفا بخشم واسیرانرا برستگاری و کورانرا به بینائی موعظه کنم و تا کوبیدگانرا آزاد سازم و ازسال پسندیده خداوند موعظه کنم. » لوقا ٤ آیه ١٧-٢٠ این بود برنامهٔ رسالت وکار او.

« امروز این نوشته در گوشهای شما تمام شد. » مسیح را میبایستی بواسطهٔ کارهائیکه میکرد بشناسند. برنامه ئی که برای او پیشگوئی شده بود انجام خواهد داد. این موضوع از جوابی هم که عیسی بفرستادگان یحیی داد مستفاد میگردد. « آیا آن آینده توئی یا منتظر دیگری باشیم؟ »

« بروید و یحیی را از آنچه شنیده و دیده اید اطلاع دهید که کوران بینا میگردند و لنگان برفتار میایند و ابرصان طاهر وکران شنوا ومردگان زنده میشوند وفقیران بشارت میشنوند. » متی ١١ آیه ٣-٤

بعبارت دیگر مسیح آمده است و او را بوسیلهٔ کارهائی که انجام میدهد میتوان شناخت.

بنا براین، ملکوت خدا بطور واضح بعموم اعلام گردید. هم بطوریکه ببینند و هم بطوریکه بشنوند. چگونگی این ملکوت بوسیله مثلهای ساده ودرعین حال عمیقی بوسیله بزرگترین معلمی که دنیا تابحال بخود دیده است بیان گردید. بحکم عیسی مریضان شفا یافته ودیوانگان بهبود حاصل کردند. در اوان کار خود، عیسی دوازده نفر از اشخاص بسیار عادی را دعوت کرد که کار های معمولی خود را ترك کرده او را پیروی نمایند. عدد ۱۲ معنی خاصی دارد، باینمعنی که تعداد اسباط اسرائیل ۱۲ بود واین عده میبایستی نماینده اسرائیل جدید بشوند و امید ها و آرزو های عالی "عهد عتیق" را بانجام رسانند. قسمت اعظم وقت خود را، عیسی مسیح صرف این عده کوچك کرد، زیرا انجام نقشه الهی جهت دنیا بسته باین بود که این عدّه درست و صحیح شخص عیسی را بشناسند و مقصود و راه و روش او را درك نمایند.

عیسی میخواست که مردم از روی کمال آزادی و با میل او را قبول نمایند. زیرا تنها این قسم ایمان با مفهومی که او از مسیحائی خود داشت جور در میآمد. ایمان بوی نبـاید از راه عملیات محیرالعقول و حتی دلایل مقنع و شگفت انگیز عقل بشری ایجاد گردد. بنا براین او میبایستی شکیبائی پیشه گیرد ودرانتظار بنشینند تا روزی مسیح بودن او بریکی دونفر کشف گردد. وظیفه

اول او در زندگی این بود که شاگردان خود را برای چنین روزی آماده سازد.

روشی که او برای این کار اتخاذ کرد تعلیم از راه تمثیل و عمل از راه شفای امراض بود. امثال عیسی مسیح طوری بیان شده است که کلیه افرادی که بخواهند، بتوانند از منظور حقیقی ملکوت آگاه گردند، مگر آنهائیکه عمداً نسبت بآن سرسختی نشان دهند. باصطلاح خود انجیل، "زمان ِ کمال" فرا رسیده ومردم باید عکس العمل خود را نسبت بآن نشان دهند. هرکس در رَدّ یا قبول آزاد است. هر شخص میتواند برای خود تصمیم بگیرد که داخل ملکوت شده عضو آن گردد و یا خارج از آن متوقف شود. هرآدمی میتواند پیروعیسی شده مطابق ارادهٔ او رفتار کند و یا برطبق تمایلات و ارادهٔ شخصی خود زندگی نماید. حضور او خود بخود ایجاب میکند که مردم یکی از دو راه را انتخاب کنند. از یك نقطه نظر بقول خود عیسای مسیح زمان حصاد فرا رسیده است؛ بذر افشانده شده بطور مخفی و آرام و مرموز در تاریخ گذشته قوم یهود در حال رشد بوده واکنون مزرعه ها برای درو سفید شده است و میبایستی محصول جمع آوری شود. و یا زمان آن فرا رسیده است که دام پائین افکنده شود و محصول نامرئی دریا صید گردد. چنانکه ملاحظه میگردد در هر دو تمثیل که در بارهٔ دخول مردم است در ملکوت خدا، موضوع جدا کردن

و انتخاب نمودن وجود دارد. گندم باید ازتلخه یا کرکاس جدا گردد. غلّه باید از سبوس و پوشال سوا شود. ماهی های خوب باید از ماهیهای بی مصرف جدا گردند. بعضی طرفـدار و پیرو "پسر انسانند" و بعضی دیگر مخالف او. ملکوت های این دنیا برخلاف ملکوت خدا صف آرائی کرده اند. برای کسانیکه چشم بصیرت دارند واضح است که شیطان حالت دفاعی بخودگرفته است. شیاطین ترسانند. قلعهٔ شرارت در خود تجزیه ومنقسم شده است. طعن آمیز است که ارواح شریر اول حق ومقام عیسی را تشخیص میدهند و میدانند که او آمده است که آنها را نابود کرده مردم را آزاد سازد.

این ملکوت ملکوتی است عمومی و جهانی و اساس آن تنها اطاعت و وفاداریست از پادشاه آن یعنی مسیح. ورود بآن بسته به مجاهدت و سعی و کوشش آدمی نیست و درآن هیچگونه وجه تمایز نژادی و یا ملی و یا خانوادگی و غیره وجود ندارد. درِآن بروی عموم باز است، حتی کسانیکه تا بحال بخیال عده ئی حق ورود بآنرا نداشته اند. از پیدا شدن "سکّه مفقود شده" و یا "گوسفند گمراه شده" و یا "پسر گمشده"، شادی عظیم درآسمان رخ مینماید. از این پس ملکوت محدود به یهود نیست بلکه برعکس چون یهود حضور پادشاه ملکوت را در میان خود احساس نکرده ویرا قبول ننمودند خود را خارج از آن ملکوت قرار دادند. ایشان

مانند آن با کره های نادان غفلت کرده روغن های چراغشان تمام شده است . آنها مانند درخت انجیری شده اند که موسم میوه که میرسد فقط برگ تحویل میدهد . اکنون در این ساعت آخر میبایستی درهای ملکوت بروی عموم باز شود . با کسانیکه اکنون داخل میشوند و اشخاصی که سختی و حرارت تمام روز را متحمل شده اند بطور مساوی رفتارخواهد شد . ولی ورود هیچکس از لیاقت و یا نتیجه زحمت و کار او نیست بلکه از سخاوت زیاد از حدّ و اِسراف آمیز صاحب تاکستان است .

اینگونه تعلیمات طبیعتاً مخالفت رؤسای مذهبی را علیه خود برانگیخت . بخیال آنها تعلیمات عیسی حمله برمذهب و اخلاقیاتی بود که ایشان با زحمات زیاد نگاهداری کرده بودند . اِدّعا های این نجار دهاتی، ایشان را بتنگ آورده نیروی عجیب و آشکاری که در جلب قلوب عامّه و هدایت ایشان داشت و نظریهٔ او نسبت بشریعت یهود آنها را آزار میداد .

ولی ، " اقلیتی" کم کم باین نتیجه رسیدند که در حضور یك شخص متعارفی بسر نمیبرند، و هریك فرضیه هـائی داشتند . بعضی فکر میکردند که عیسی همان یحیی تعمید دهنده است كه از مردگان برخاسته و برخی دیگر تصور میکردند که او "الیاس" یا "ایلیا" و یا یکی از انبیاء است . پطرس اولین کسی بود که مسیح بودن عیسی برایش کشف گردید . مکاشفهٔ این سِرّ در "قیصریه فیلیپس"

اتفاق افتاد .

« شما مرا که میدانید؟ پطرس در جواب او گفت تو مسیح هستی . » مرقس ۸ : ۲۹

اکنون عیسی مسیح نتیجهٔ صبر و شکیبائی خود را مشاهده میکند . بالاخره یکنفر پیدا شد که او را آنطور که هست وآن وجودی که میباشد، شناخت . نتایج این شناسائی و کشف تازه را شاگردان هنوز باید در آتیه ملاحظه کرده تدریجا با آنها آشنا شوند ، و این آشنائی کار آسانی نخواهد بود . وقتی زمان تجربه برسد وایمان آنها بمحك زده شود همه کم وبیش شکست خواهند خورد و او را انکار خواهند کرد .

پس از اقرارپطرس در"قیصریه فیلیپس"،شرایط شاگرد بودن سخت تر میگردد. آنهائیکه میخواهند شاگرد او بشوند میبایستی صلیب خود را برداشته اورا پیروی کرده خود را انکار کنند (متی باب ۸ آیه ۳٤) . میبایستی درتعمید او شرکت بجویند . از پیالهٔ او بنوشند و در تحمل مصائب با او شریك شوند . میبایستی ادعا های ملکوت را قبل از هرچیز دیگر وهرگونه علاقهٔ دیگر قراردهند (لوقا ۱٤:۲٥تا۲۷) . وقتی یکبار تصمیم بزرگ را مبنی برپیروی کردن او گرفتند دیگر نباید ازآن بازگشت نمایند ؛ ازاینجهت این تصمیم نباید ازروی عجله وسبکسری گرفته شود بلکه از روی کمال دقت و حساب بهای آن . (لوقا ۱٤ : ۲۸ تا ۳۳) « ... پس همچنین هریك از شما

که تمام ما یملك خود را ترك نکند نمیتواند شاگرد من شود . »

عیسی بقدری تقاضا ها و انتظارات خود را از پیروان خود عالی و سخت گرفت که واضح بود که عدۀ پیروان حقیقی او بسیار کم خواهد بود . «تنگ است آن دری که مؤدی بحیات است و داخل شوندگان آن کم خواهند بود . » « دعوت شدگان بسیارند ولی برگزیدگان کم . » آیا از این آیات و آیات دیگر شکّی باقی خواهد ماند که عیسی مسیح درفکر یك اقلیت کوچکی بود که در میان مردم بحقیقت ملکوت شهادت بدهند؟ اغلب از امثال مسیح شاهد همین معنی است . فقط مقدار کمی از بذرافشانده شده ثمر آورد و از جمع میوه ها نیز مقدار کمی حقیقتاً با فایده گردید . تور ماهی گیری پر از ماهی است ولی فقط تعداد کمی از آنها قابل خوردن میباشند . خمیر مایه به نسبت آن خمیری که باید مُخمّر کند بسیار کم و ناچیز است . چنانکه ملاحظه میشود از این قسمت ها و قسمتهای دیگر کتابمقدس چنین برمیآید که « بقیه ئی » باید وجود داشته باشد که در هرحال وفادار بماند . ولی عضو این «بقیه» شدن تنها منوط به یك چیزاست و آن اینست که شخص، عیسی مسیح را آزادانه و از روی میل استاد وخداوند خود دانسته و اطاعت از او را در عموم شئون زندگی مُقدّم بر هرچیز دیگر بداند . هیچگونه رادع ومانعی برای دخول بملکوت وجود ندارد بجز عدم تمایل و ارادۀ سرسخت بشری .

اکنون بمرحلهٔ نهائی نقشهٔ خدا میرسیم :

« و چون در راه بسوی اورشلیم میرفتند وعیسی درجلوایشان میخرامید درحیرت افتادند و چون از عقب او میرفتند ترس بر ایشان مستولی شد . آنگاه آن دوازده را باز بکناره کشیده شروع کرد باطلاع دادن بایشان از آنچه بروی وارد میشد . »

مرقس ۱۰ : ۳۲

کلمهٔ « باز » در آیات فوق قابل توجه است . این عبارت میرساند که عیسی بار ها این موضوع را با شاگردان خود درمیان گذارده بود . معلمین خوب میدانند که چه دشوار استکهفکر تازه-ای را بشاگردان بفهمانند، بخصوص اگر در ذهن شاگردان علیه آن فکر احساسات مخالفی هم وجود داشته باشد. عقیده راجع به یك مسیحی که باید متحمل درد و رنج شود از آن عقایدی بود که بسیار دور از ذهن شاگردان بود و بآسانی نمیتوانستند آنرا قبول کنند . بیش از یکی دوبار ، حین صحبت عباراتی گفتند که معلوم بود که ابداً موضوع را نفهمیده بودند . عقاید ایشان نسبت بارزش حقیقی اُمور هنوز با عقاید مسیح هم آهنگ نشده بود . « . . . اینك ما همهٔ چیز هارا ترك کرده ترا متابعت میکنیم پس ما را چه خواهد شد ؟ » (متی ۱۹ : ۲۷) . « گفتند بما عطا فرما که یکی بطرف راست ودیگری برچپ تو درجلال توبنشینیم » (مرقس ۱۰ : ۳۷). حتی دوستان صمیمی وهمراهان نزدیك عیسی

یعنی "یعقوب" و "پطرس" و "یوحنا" نیز بعضی اوقات از گفته هایشان معلوم میشد که ابداً منظور اصلی و چگونگی حقیقی ملکوت را نفهمیده بودند.

آیا ایمان ناقص رسولان میتوانست در برابر اتفاقات پایان زندگی عیسی تاب بیاورد؟

اناجیل یا بوسیله خود رسولان ویابوسیلهٔ آنهائیکه بسیار بآنها نزدیک بودند و یا به املاء ایشان نوشته شد و در طیّ آنها هیچ سعی نشده است که ضعف وشکست های روز های آخر کتمان شود. در باغ جتسیمانی از خستگی بخواب رفتند. یهودا خود را به سی پاره نقره فروخته، باستاد خود خیانت کرد. پطرس از کنیزی حساب برده خداوند خود را انکار نمود. و در آخر همه او را واگذاشته فرار برقرار اختیار کردند. شاید این چند آیه از انجیل یوحنا بهترین نمونهٔ تشریح وضع ذهنی مسیح باشد در اینموقع که شاگردان ایمان خود را باو اقرار کرده اند: « الان دانستیم که همه چیز را میدانی و لازم نیست که کسی از تو بپرسد، بدینجهت باور میکنیم که از خدا بیرون آمدی. عیسی بایشان جواب داد آیا الان باور میکنید. اینک ساعتی میآید بلکه الان آمده است که متفرق خواهید شد، هریکی نزد خاصّان خود ومرا تنها خواهید گذارد. لیکن تنها نیستم زیرا که پدر با من است. » (انجیل یوحنا ۱۶: ۳۰ تا ۳۲) بدینطرز « بقیه وفادار » بیک تن تقلیل یافته

است . عیسی از حمایت و پشتیبانی و همدردی بشری محروم شده است . تنها او است که کاملا نسبت باراده و منظور خدا وفادار و مطیع مانده و بنا براین تنها او است که میتواند رابطهٔ انسان را با خدا که شکسته شده و بهم خورده است دوباره برقرار سازد . «که چون درصورت خدا بود با خدا برابر بودن را غنیمت نشمرد . لیکن خود را خالی کرده صورت غلام را پذیرفت و در شباهت مردمان شد و چون در شکل انسان یافت شد خویشتن را فروتن ساخت وتا بموت بلکه تابموت صلیب مطیع گردید . » (فیلیپیان ۲ : ۶ ـ ۸) در اینجا پولس رسول فروتنی الهی را بیان کرده آنرا تأکید مینماید . کفّاره فقط بوسیلهٔ شخصی ممکن گردید که توانست تمایل بشری را در رسیدن به الوهّیت تغییر دهد و خود او شکل غلام را بخود بگیرد .

در اینجا در برابر یك سِرّعمیق و راز بزرگی قرارگرفته ایم . صلیب مسیح عمق حقیقی محبت خدا را ظاهر میسازد وتصمیم الهی را در نجات دادن گناهکاران با وجود گناهشان آشکار مینماید . « و حکم اینست که نور در جهان آمد و مردم ظلمت را بیشتر از نور دوست داشتند از آنجا که اعمال ایشان بد است .»

(یوحنا ۳ : ۱۹)

گناه بشر صلیب مسیح را که با آن جهان داوری شده است ایجاب نمود . حکم وداوری خدا مانند داوریهای محاکم دادگستری

سرد و بدون عـاطفه نیست، بلکه چون داوری پدر مهربانی برای فرزندان ناخَلَفش میباشد. نباید تصور کرد که ارادهٔ خدا صلیب را ایجاب نمود، بلکه ارادهٔ بشر بود که خداوند را مصلوب ساخت. « خدا در مسیح بود وجهانرا با خود مصالحه میداد. » (۲قرنتیان ۵:۱۹) محبتی که مسیح بر روی صلیب نشان داد همان محبت خدا بود. اکنون‌عمل خادم حقیقی درمسیح پایان یافته است. تمام مصائب و سختیها را متحمل گردیده‌و از همهٔ آنها راضی است.

روز سوم از مردگان برخاست. دشمنانش فکر میکردند که با صلیب کردن او کار اورا خاتمه میدهند ولی صلیب تازه آغاز کار های او بود. بر مرگ غلبه نمود و روز سوم از مردگـان قیام کرد. همان شاگردانیکه از ترس این و آن پنهـان گشته بودند مبادا کسی ایشان را از همراهان و همدستان او بشمـار آورد ناگهان دارای نیروئی گشتند که بدون ترس و با کمال شجاعت با دنیا رو برو شده حتی گـفتند: « همـان عیسی را خدا برخیزانید و همهٔ ما شاهد بر آن هستیم. پس چون بدست راست خدا بالا برده شد روح القدس موعود را ازپدر یافته اینرا که شما حال می بینید و میشنوید ریخته است. »

(اعمال رسولان ۲ : ۳۲ و ۳۳)

پس بدینطریق "کلیسا" بظهور رسید که همان "اسرائیل جدید" یا "شراکت مقدس" ویا جامعه ئی است که با حیاتِ قیام‌کردهٔ عیسی شراکت

دارد.

بتجربه ثابت شده است که آنچه که از همان روز های اول تا بحال شهادت کلیسا را منشأ اثر گردانیده نیروی قیامت عیسی بوده ومیباشد.

چون «بقیه وفادار» جای خود را بکلیسا داد در صفحات کتاب عهد جدید دیگر ذکر مشروحی از «بقیه» یافت نمیشود، مگر درباب یازدهم رساله برومیان که حضرت پولس پس از بیان اینکه چگونه در زمان ایلیای نبی هفت هزار نفر باقیمانده بودند که سر به «بعل» خم نکردند میفرماید: «پس همچنین درزمان حاضر نیز "بقیتی" بحسب اختیار فیض، مانده است.»
(رساله برومیان باب ۱۱ آیه ۵)

«بقیه»ئی که در عهد عتیق، نزدیکی خاصّی بیك قوم خاص و برگزیده داشت اکنون جای خود را بکلیسائی داده است که هم شامل یهود و هم شامل اُمتها میباشد. در عضویت، دیگر تبعیضی نیست ـ اصل و نسب و خانواده، ملّیت و نژاد و تعلق بیك قوم بخصوص، دیگر شرط عضویت نیست بلکه هرکس که از روی میل و باآزادی کامل بدعوت خدا (که هرکس راکه بخواهد بکلیسای خود دعوت مینماید) اجابت گوید میتواند وارد شود. اُمتها جای یهود را نخواهند گرفت بطوریکه ایشان خارج از ملکوت واقع شوند بلکه برعکس ورود امتها باعث این خواهد شد که یهود باردیگر

بامتیاز بزرگی که روزی دارا بودند و اغلب آنها آنرا از دست داده اند دعوت شوند. بنا براین کلیسا شامل کسانی خواهد شد که بدون توجه بملاحظات نامربوطی مثل نژاد ـ طبقه ـ جنس ـ و یا ملیت؛ عیسی مسیح را نجات دهنده و خداوند خود قبول کرده پدر را در روح وراستی پرستش نمایند. پس کلیسا همان «بقیه» نجات دهندهٔ است یعنی جامعه ئی که بوسیلهٔ آن روح القدس در دنیا کار میکند. ولی فوراً این مطلب در نظرمان مجسم میگردد که خود کلیسا نیز گناهکار است. به همانطوریکه انبیاء "عهد عتیق" باین نتیجه رسیدند که در میان اسرائیل یك اسرائیل دیگری وجود داشت بهمانطور نویسندگان عهد جدید نیزباین نتیجه رسیدند که کلیسائی در کلیسا وجود دارد. یك جریان تصفیه و یك جریان دائمی داوری و محاکمه در کار است، که در طَیّ آن، ایمانِ کلیسا، بنا بر عکس العملهائیکه نسبت بوقایع زمان ومکان بخصوصی که کلیسا در آن واقع است ازخود نشان دهد، امتحان میشود.

یکی از افتخارات کتا بمقدس اینست که وقایع و حقایق را بدون هیچگونه روپوش و ماسک، خالی از هرگونه ظاهرسازی لُخت و عُریان بیان میکند. از همان اول گناه در کلیسا وجود دارد. دوره «باغ عدن» در کلیسا دیده نمیشود. در بابهای اول "اعمال رسولان" به دروغ و خیانت "حنانیا" و "سفیره" برمیخوریم و با مجادلات و مُباحثات شاگردان راجع بشرائط ورود بکلیسا روبرو

میشویم . ازمیان آنها کسانی بودند که مسیحیت را نوعی یهودیت میدانستند که فقط عقیده به مسیح بآن اضافه شده باشد . اگراین نظریه قبول شده بود، مسیحیان برای همیشه، در قید شریعت یهود باقی می ماندند و ختنه شرط اصلی تعمید میگردید . ولی پولس رسول بر ضدّ این نظریه با تمام قوا مبارزه کرد و در نتیجه مبارزات او مناقشات وتلخکامیهائی در کلیسا ایجادگردید چنانکه این امر از باب دوم رساله وی بغلاطیان هویدا است . بطورحتم میتوان گفت که در نتیجهٔ مبارزات پولس، عدهٔ زیادی خود را وارد کلیسا نکردند که شاید اگر پولس اطاعت حتمی شریعت را از بین نبرده بود داخل میشدند . از طرف دیگر اشخاص دیگری نیز یافت شدند که بخیال خود از آزادی درمسیحیت سوء استفاده کرده فکرمیکردند که میتوانند در شهوات بت پرستانه خود بمانند ولی خود را مسیحی بنامند و زیر بار اصلاح اخلاقی و تحول درونی نروند . باب اول "رساله برومیان" وقسمت اعظم "رساله های بقرنتیان" بهترین شاهد اغتشاش و هرج و مرج اخلاقی است که در کلیسای اولیه در میان امتها وجود داشته است .

کلیسای مسیح نه خشکی و تعصب وبَرده بودن نسبت بشریعت یهود را پذیرفت و نه هرج و مرج اخلاقی اُمتها را .

حیات کلیسا بسته به "فیض" است ونه به "شریعت" ولی "گناه" را تشویق نمیکند تا "فیض" افزون گردد . کلیسا که دیگر شریعت یهود را

اساس نجات ندانسته آنرا رد نمود، خود میبایستی نمونهٔ مشخّصی از زندگی باشد.

پایهٔ این طرز زندگی، بر اساس اتحاد در "عبادت" و "شهادت" گذارده شده است. عقیده و عمل باید دوش بدوش هم جلو رفته یکپارچه باشند، زیراکه وظیفه کلیسا این است که ذات خدائی را که او را خدمت مینماید در زندگی خود نشان دهد. چونکه خداوند ومؤسس کلیسا خود شخصیتی است تاریخی و رفتاروگفتارش نیز محفوظ مانده واراده اش برای کلیسا آشکار است. کلیسا همیشه بواسطهٔ انجیلی که باو سپرده شده است محاکمه و داوری خواهد شد. نظر باینکه عیسی مسیح در تاریخ نقش (مسیح خادم) را بعهده گرفت و انجام داد و تا بموت مطیع گردید، خدا یك نیروی روحی دردنیا سر داده است که هم برای فرد فرد مسیحیان وهم برای جامعه مسیحی، یعنی کلیسا، سرچشمهٔ نیرو وقدرت میباشد. وجه تمایز کلیسا با هرگونه سازمان و یا بنگاه بشری در همین است که دارای نیروئی است که خارج از او وجود دارد که آن نیرو از خارج باعث تصفیه روحی و تزکیه اخلاقی افرادش میگردد وایشانرا کمك مینماید که برگناه غلبه نمایند و بدینطور نیروئی برای حیات تازه بیابند.

ولی با وجود اینها در تاریخ کلیسا مکرراً ملاحظه میشود که اصلاحات اخلاقی و تجدید حیات روحی بوسیلهٔ افراد و یا جماعات

کوچکی بوجود آمده است. بعبارت دیگر وجود یك «بقیه وفادار» و یا یك اقلیت در نقشهٔ خدا درنجات بشر یك عامل دائمی بنظر میرسد. این موضوع دربسیاری از رسالات عهد جدید هویدااست. از همان روز های اول تفرقه هائی در کلیسا وجود داشت که هستی کلیسا را تهدید مینمود، مثلاً درکلیسای "قُرِنطُس" نزدیك بود که مصاحبت ورفاقت را بکلی برهم زند.

در بین مسیحیان بودند اشخاصیکه همرنگ جماعت میشدند و رنگ اخلاقیات و شهوترانیهای محیط را بخود میگرفتند. عده ئی از کلیسا اخراج میشدند و پس از توبه و زاری و نُدبه دوباره پذیرفته میگردیدند. بعبارت دیگر جامعه مسیحی از روز اول تابحال شامل دوقسمت میباشد: یکی هستهٔ مرکزی یا حلقهٔ داخلی که تشکیل شده است از "بقیه وفادار" و دیگری عده زیادتری از مسیحیان اسمی که بعناوین مختلفه و بمنظورِ مقاصدِ مشکوك، خود را بکلیسا چسبانده اند ولی الزامات آنرا فوق ازطاقت خود دانسته‌اند.

در نامه های به "هفت کلیسا" (مکاشفه ۲ و ۳) نمونهٔ خوبی از این موضوع برای ما باقیمانده است.

بنا براین نامه ها، حتیٰ در اواخر قرن اول هم سُستی و بیحالی وعدم ذوق و شوق وجدیت، بت پرستی، فساد اخلاق، جدائی، بدعت و عدم غیرت برای بشارت درکلیسا ها وجود داشته است. ولی در هریك از این کلیسا ها بغیر از یکی، اقلیت وفادار و

کوچکی باقی مانده است که نویسنده از آنها نام میبرد. وفاداری این عدّه های کوچك است که موجـودیت و پیشرفت کلیسا را تضمین مینماید: عدّه‌ئی که در "افسس" وجود داشتند، متحمل "اشرار" نشده بودند و بخاطر اسم عیسی "تحمل زحمات کرده" "خسته" نشده بودند. (مکاشفه ۲: ۲ و ۳) ـ در "اسمیرنا" درزندان انداخته شده و زحمت کشیده ولی وفادار وامین مانده بودند (باب ۲ آیه ۱۰) در "پرغامس" شهیدی وجود داشته است که ایمان خـود را بقیمت جان خود انکارننموده است (آیه ۱۳ باب ۲) در "طیاتیرا" عده‌ئی بودند که تعلیمات "ایزابل" را رد کرده و "عمقهای شیطان" را نفهمیده بودند (باب ۲ آیه ۲٤) در "ساردس" چند نفری بودند که "لباس خود را نجس" نساخته بودند. (باب ۳ آیه ٤). تنها در "لاودکیه" بود که همهٔ آنها نه "گرم" بودند و نه "سرد" و بقیه وفاداری درمیان آنها نمانده بود. احترام برسومات ظاهری و پای بند بودن زیاد به سُنن تاریخی وافادهٔ بآنها و روحیه از خود راضی بودن که سرتاسر کلیسا را فراگرفته بود، دیگر برای بکار رفتن جهت منظور خدا بی فایده شده بود. در تمام کلیسا های دیگر یك "اقلیت وفاداری" باقیمانده بود که روح خدا میتوانست بوسیلهٔ آنها صحبت کند و برای خاطر آنها رحمت خود را دریغ نفرماید. « ایشان کسانی میباشند که ازعذاب سخت بیرون میآیند و لباس خود را بخون بره شست و شو کرده سفید نموده اند، ازاینجهت پیش روی تخت خدایند و شبانه روز

در "هیکل" او و یرا خدمت میکنند و آن تخت نشین خیمهٔ خود را برا یشان برپا خواهد داشت. »

(مکاشفهٔ ۷ : ۱٤ و ۱۵)

هرچند اوضاع فاسد و تیره و تار باشد، خدا هرگز خود را بدون شاهد و خادم امین باقی نخواهد گذاشت.

(٤)

ایمان و شهادت کلیسا

اگر در طی قرون متمادی اقلیتی بوده است که در انجام اراده خدا با وی همکاری کرده ، انتظار میرود که آن اقلیت دارای صفات ممتازه و روشهای خاصی شده باشد که با محیطی که در آن می زیسته کاملاً فرق پیدا کرده است. در حقیقت هر گونه اقلیتی باید دارای صفات ممتازه و روشهای خاصی باشد،و اگرنه دیر یا زود در محیط حل خواهد گردید. یکی از قدیمی ترین اسنادی که در بارهٔ راه و روش زندگی مسیحیان در دست داریم دراعمال رسولان باب ۲ آیه ۴۴ ـ ۴۷ یافت میشود:

« و همهٔ ایمانداران با هم میزیستند و در همه چیز شریک میبودند و املاك و اموال خود را فروخته آنها را بهر کس بقدر احتیاجش تقسیم میکردند و هر روزه در هیکل بیکدل پیوسته میبودند و در خانه ها نان را پاره میکردند و خوراك را بخوشی و ساده دلی میخوردند و خدا را حمد میگفتند و نزد تمامی خلق عزیز میگردیدند وخداوند هر روزه ناجیان را بر کلیسا میافزود . »

(اعمال ۲ : ۴۴ ـ ۴۷)

دراینجا چنانکه ملاحظه میشود یك جامعه مخصوص وممتازی

در شرف تشکیل و تکوین است کـه اساس آن بر روی شریعت یهود گذارده نشده،بلکه بر روی مکاشفۀ خدا که درعیسی مسیح به بشر عطا گردیده است . دیری نگذشت که این جامعه دارای اسمی خاص شد و خود بخود هم از یهود و هم از امتها مجزی گردید،و حال اینکه اعضاء این جامعه هم از یهود آمده بودند و هم از امتها .

« همۀ ایمانداران با هم میزیستند .» اساس زندگی‌مشترک آنها ایمانی مشترک بود . و شهادت آنها در نتیجۀ این ایمان بود . این یک حقیقت تاریخی است‌که اقلیّت های مذهبی تاآنجا توانسته اند بزندگی خود ادامه بدهند که ،باصطلاح دارای ایمان ‌واگیری ‌بوده اند . ایمانی داشته اند که چنان آنها را تحت تأثیر قرار داده است که بجز از رساندن آن بدیگران چاره ئی نداشته اند .

بنا براین شایسته است ایمان مسیحیان اولّیه را مورد بررسی قرار دهیم .

آن ایمان چه بود ؟

یکی از پروفسور های معروف علم الهی که تا دو سال پیش در دانشگاه کمبریج کرسی استادی الهیات را بعهده داشت واکنون بازنشسته شده است در یکی از کتب معروف خود استخوان بندی عقایدی که مسیحیان عهد جدید زندگی خود را بر اساس آن قرار داده بودند بدینطور تجزیه مینماید (۱) . این پایه واساس

1. Professor C. H. Dodd, The Apostolic Preaching And Its' Development.

چنانکه بعضی تصور کرده‌اند یك مشت قوانین اخلاقی نبود که شاگردان بآن موعظه نمایند، هرچند روش زندگی مسیحیان بسیار مورد توجه و حایز اهمیت بود.

کار مسیحیان بر دو قسم بود که پروفسور نامبرده یکی را وعظ (۱) و دیگری را تعلیم (۲) نامیده، بین آن دو فرق هائی قائل است. مقصود از «وعظ» روبرو کردن مردم است با فعالیت نجات ـ بخش خدا و یا بعبارت دیگر اعلام انجیل و تبشیر کلام خدا، و برای این بود که رابطهٔ قطع شده و یا کدر شده مردم را (از زن و مرد) با خدا، دوباره برقرار و یا مُنَزَّه نمایند. و انتظار میرفت که وقتی که این امر اتفاق، بیفتد منجر برفتار نیکو گردد.

حال ببینیم این «وعظ» رسولان شامل چه چیز هائی بود؟ بنا بر رسالهٔ اول پولس بقرنتیان باب ۱۵ : آیه ۳ ـ ۵، «پولس» آنچه را که یافته بود، در «قرنطس» بدان وعظ مینمود؛ که چگونه مسیح « در راه گناهان ما مرد و اینکه مدفون شد و در روز سیم برحسب کتب برخاست و اینکه بکیفا ظاهر شد و بعد از آن به آن دوازده » . در رساله برومیان باب ۱۰ : ۸ و ۹ نیز یك همچنین بیانیه‌ئی ملاحظه میشود . « این کلام ایمان که بآن وعظ میکنیم ... اگر بزبان خود عیسی خداوند را اعتراف کنی

---

1. Preaching (Kerygma)
2. Teaching (Didache)

و در دل خود ایمان آوری که خدا او را ازمردگان برخیزانید نجات خواهی یافت.» موعظه بقیام عیسی از مردگان،خود بخود، منجّر باعلام خداوندی عیسی میگردد،چنانکه در دوم قرنتیان ٤ : ٥ نویسنده،یعنی حضرت پولس،با اصرار زیاد میخواهد بفهماند که او بخود وعظ نمیکند بلکه «بمسیح عیسی خـداوند» و نیز در رساله بفیلیپیان ٢ : ١١ میفرماید :

«و هر زبانی اقرار کند که عیسی مسیح،"خداوندْ است،برای تمجید خدای پدر.»

اقرار بخداوند بودن عیسی،خواه ناخواه منجر باین فکر میگردد که او داور کلّ است و درپایان کار این عالم باز خواهدگشت. در رساله اول قرنتیان باب ٤ آیه ٥ مکتوبست : «لهذا پیش از وقت بچیزی حکم مکنید تا خداوند بیاید که خفایای ظلمت را روشن خواهد کرد ونیّت های دل ها را بظهور خواهد آورد.آنگاه هرکس را مدح از خدا خواهد بود.» و نیز در دوم قرنتیـان باب ٥ آیه١٠ نوشته است : «زیرا لازم است که همهٔ ما پیش‌مسند مسیح حاضرشویم تا هرکس اعمال خود را بیابد،بحسب آنچه کرده باشد چه نیك و چه بد.»

پروفسور سابق الذکر در کتاب خود موعظه حضرت پولس را بطریق زیر خلاصه مینماید :

"آمدن مسیح نبوّت ها را بانجام رسانید ودوران جدیدی

را آغاز کرد .

عیسی مسیح از نسل داود تولد گردید .

برطبق کتب مقدسه مرد تا ما را از این دوران گناه و شرارت نجات بخشد .

او را دفن کردند .

برطبق کتب مقدسه روز سوم از قبر قیام کرد .

بر دست راست خدا صعود کرد و به عنوان "پسر خدا"، خداوند زندگان و مردگان است .

بار دیگر چون داور ونجات دهندهٔ بشر بازخواهدگشت . »

این طرزیکه پولس انجیل عیسی مسیح را در رسالات خود نشان داده معرفی مینماید بسیار شبیه بطرز وعظ رسولان است که در اعمال رسولان دیده میشود . در اعمال رسولان چهار موعظه به پطرس رسول تعلق دارد . دو تا از آنها روز پنطیکاست دربرابر جمعیت زیاد ایراد گردید (اعمال ۲ : ۱٤ ـ ۳٦) و (۳۸ـ۳۹) . وعظ سومی به جمعیتی که دور آن مرد شل شفا یافته جمع شده بودند (اعمال باب ۳ آیه ۱۲ ـ ۲٦) . و چهارمی به هیئت مشایخ یهود، هنگام توقیف او (اعمال ٤:۸ـ۱۲) . این مواعظ را میتوان چنین خلاصه کرد که آن روز هائی را که انبیاء قبلاً پیشگوئی کرده بودند اینك فرا رسیده . عیسی مسیح ناصری را که تسلیم کرده کشتند، او خود همان مسیحی بود که کتب انبیاء دربارهٔ او

پیشگوئی کرده بود. همین عیسی را خدا، از مردگان برخیزانید و ویرا سرور کائنات گردانید، که بالاتر از او دیگر قدرت و نیروئی وجود ندارد. وی بار دیگر چون داور خواهد آمد، ولی در این اثناء روح خود را فرستاده است تا قلب مردم را عوض کرده بسوی خود باز گرداند تا نعمت نجات او را دریابند. این نعمت برای عموم اشخاصی که توبه کرده انجیل را بپذیرند آماده میباشد.

موضوع بسیار مهمی که در تقدیم انجیل بدنیا بواسطهٔ رسولان جلب نظر میکند اینست که انجیل مسیح جنبه واقعیت خارجی (۱) دارد و تنها دارای معقولیت ذهنی (۲) نیست. جنبهٔ "واقعیت خارجی" آن بسیار زیاد تر و پر اهمیت تر است و "معقولیت ذهنی" مسیحیت بر روی پایه و اساس "واقعیت خارجی" آن قرار گرفته است. بدینمعنی که مسیحیت بوسیلهٔ یك یا چند نفر متفکر که بدور هم جمع شوند و فرضیه هائی بیاورند و چیزهائی بنویسند ویك سیستم فلسفی ومذهبی ایجاد نمایند شروع نگردید، بلکه اتفاقات ووقایع مخصوص ومجزائی درصحنه تاریخ عالم اتفاق افتاد؛ وعظ مسیحی مربوط به حقایق تاریخی است و نه تجربیات ذهنی و روحی بشری. برای مسیحیت بسیارحایز اهمیت است که مسیحیان هیچگاه فراموش نکنند که مسیحیت در "تاریخ" بنیاد نهاده شده است. نیروی حقیقی

---

۱ و ۲ـ دو عبارت OBJECTIVITY و SUBJECTIVITY در زبان انگلیسی مفاهیم مخصوصی دارند که دراینجا ما اولی را « واقعیت خارجی » ودومی را « معقولیت ذهنی » نامیده ایم.

انجیل در وهلهٔ اول به تفکرات و احساسات بشری وابسته نیست بلکه بیك عملی که خدا در تاریخ انجام داده است. در ادوار مختلفه، مردم هر دوره ئی، تحت شرایط مختلف، با همان فعالیت خدا که یکبار در تاریخ اتفاق افتاد روبرو میشوند. البته شرایط زمان ومکان در طرز تفکر مردم راجع باین اعمال خدا درتاریخ تأثیر داشته و دارد ولی اعمال خدا همانست. کاری که بشرمیتواند انجام دهد فقط اینست که یا این اعمال را برای حیات خود قطعی و ضروری دانسته بپذیرد و یا بآنها بی اعتنائی نماید و یا با بهانه های جور بجور آنها را غیر منطقی دانسته رَدّ نماید. وظیفهٔ ما نیز به همین منوال خواهد بود.

«به وعظ ما ایمان آورید.» نتیجه و عکس العمل وعظ، ایمان است و جامعه مسیحی را همین "ایمان" تشکیل میدهد. منظور "عهد جدید" از ایمان چیست؟ ما در محاورات خود بین "دانستن" و "ایمان داشتن" فرق میگذاریم. میگوئیم بعضی چیز ها را میدانیم زیرا که معمولا یا آن چیز ها را خود دیده و یا شنیده ایم و یا کسانیکه آنها را دیده اند و ما بحرف ایشان اطمینان داریم بما گفته اند. از طرف دیگر میگوئیم، به بعضی چیز ها ایمان داریم و معمولاً در اینطور مواقع مقصودمان عقیده بچیز هائی است که نمیتوان آنها را اثبات کرد. از اینجهت شاید علم بچیزی داشتن از ایمان بچیزی داشتن مطمئن تر باشد. ولی در "عهد جدید" منظور از ایمان

داشتن ابداً چنین چیزی نیست. آن کلمهٔ یونانی که آنرا در"عهد جدید" ایمان ترجمه کرده اند، اطمینان ویقین نیز معنی میدهد، وازاینجهت معنی ایمان بسیار عمیق تر ازمعنی عِلم" و یا دانستن میشود. معنی ایمان در"عهد جدید" بیش ازعلمِ بیک حقایقی است. مقصود سپردن تمامی وجود شخص است برای آن حقایق بشخص عیسای مسیح و این البته با علم ویقین صِرفْ فرق دارد وپایه‌اش برروی توکّل است.

حضرت پولس، به علم، محض خود علم، چندان وقعی نمینهد. او خود را در شمار عُلماء نمیداند و ازخطر «سخنان حکمت آمیز» بخوبی آگاه است. چنین برمیآید که بعضی از معاصرین پولس عقیده به جَدَل وبحث داشتند وگمان میبردند که با مباحثه ومباحث فلسفی و علمی میتوان مردم را نزد مسیح آورد، ولی پولس رسول چنین عقیده ئی نداشت. علم، برای پولس، عبارت بود از شناسائی احتیاجات و طبیعت بشری از یکطرف و تسلیم محض و کامل به عیسای مسیح از طرف دیگر. بنا براین، وعظ یعنی وسیلهٔ رساندن "فیض" خدا باحتیاجات بشری. "ایمان" یعنی آن حالت روحی و عقیده ئی که منجر باین میشود که آدمی با تمامی وجود وشخصیت خود بخدا تکیه کرده توکّل و اطمینان کامل بقدرت و حکمت و خوبی او داشته باشد.

معلوم بودکه به چنین دعوتی بهاین کُلّیت، یعنی طلبیدن تمامی وجود و شخصیت انسانی اقلّیت کمی پاسخ خواهند داد. اکثریت

حاضر نمیشدند یکباره دست از زندگی پیشین خود بردارند و تغییر ماهیت بدهند. انجیل برای یهود «سنگ لغزش» بود زیرا که در آن به "مسیحی" موعظه میشد، که بر خلاف عقیده و انتظار یهود بود؛ و برای یونانیان "حماقت" بود، زیرا که تنها میخواستند بوسیلهٔ عقل ومنطق بشری بآن برسند والبته عقل ومنطق بشر هیچگاه نخواهد توانست برخدا و راههای او احاطه یابد. آنهائی که دل بدریا زده انجیل را حقیقتی مافوق حقایق بشری دانستند و خود را بآن سپردند، یکباره دیدند که سرگردانی آنها خاتمه یافته و آنچه را که لازم است بدانند میدانند. نویسنده رساله دوم به تیموتاوس گوید: «میدانم به که ایمان آوردم و مرا یقین است که او قادر است که امانت مرا تا بآن روز حفظ کند. (۲ تیموتاوس ۱ : ۱۲) هیچیك از استعدادات و قابلیت های بشری، این قسم ایمان بوجود نیاورده است؛ بلکه این نوع ایمان درنتیجه فعالّیت روح القدس بوجود آمده است. «احدی جز بروح القدس عیسی را خداوند نمیتواند گفت.» (۱ قرنتیان ۱۲ : ۳) بدیهی است که منظور ازاین آیه این نیست که مسیحیت مذهبی است که با عقل و منطق جور درنمیآید و ما نباید استعداد عقل ونیروی ذهن خود را در مذهب بکار ببریم؛ بلکه مقصود اینست که ایمان حقیقی، در عین اینکه باید از روی فهم و عقل باشد، نباید در قید آن گرفتار بوده بآن اکتفا نماید.

بالاخره باید گفت که ایمان مسیحی میبایستی بعمل منجر گردد.

در مسیحیت دعا و فعالیت، با عبادت وخدمت، باید هم آهنگ بوده با عقیده و عمل توأم باشد. درعمل است که نیروی خدا از طرفی، و آزادی بشر، از طرف دیگر بجهانیان ظاهر میگردد. کسانیکه با این ایمان زندگی میکنند دیگر غلام ترس و گناه نیستند، بلکه اشخاص حقیقتاً آزادی هستند که بر دنیا غالب آمده اند. این طرز ایمان، آثار و علائم شخصیت بانی آن یعنی مسیح را در زندگانی مؤمنین بجا خواهد گذارد. اگر مؤمنینی را مانند "لوتر" - "جان بَنیان" - "کِری" - البرت شُویتسِر - "مارتین نیمولر" - "اسقف برگراف" و "کاردینال فالهابر" از نظر بگذرانیم، خواهیم دید که با تمام اختلافاتی که بایکدیگر دارند، چه ملّی و نژادی و چه مزاجی و چه تربیتی و چه فرهنگی وچه کلیسائی، در یك چیز بسیار عمیق باهم اشتراك دارند، و آن نوع مخصوصی از ایمان و اُمید و محبّت است که روح القدس بآنها عطا فرموده است. از هیچ چیز در این دنیا بیم و ترس ندارند، زیرا که عضو "شهر آسمانی" هستند که معمار و سازنده آن خدا است.

گفتیم ایمان منجر به اعمال میگردد. قوم خدا بوسیلهٔ خدا برگزیده شده اند، که هم بطور دسته جمعی و هم فرداً در محیطی که زندگی میکنند برای او شهادت می‌دهند و طرز زندگی و ثمرهٔ حیات آنها باید از محیطشان مشخّص و ممتاز باشد. بعضی کار ها است که نباید انجام دهند، مبادا باعث لغزش دیگران شوند،

بعوض بعضی کارهاست که باید انجام دهند، اگر میخواهند شاهدان امین محبت و نیروی خدائی باشند که او را خدمت مینمایند. بهترین شرح هر دو جنبهٔ این نوع شهادت مسیحی، با منظور ازآنها در رساله اول پطرس یافت میشود:

« ای محبوبان استدعا دارم که چون غریبان و بیگانگان از شهوات جسمی که با نفس در نزاع هستند اجتناب نمائید وسیرت خود را در میان امتها نیکو دارید، تا در همان امریکه شما را مثل بد کاران بد میگویند، از کار های نیکوی شما که ببینند در روز تفقد خدا را تمجید نمایند.»

(۱ پطرس ۲ : ۱۱ ـ ۱۲)

دیدیم که چگونه میتوان تقریباً بحدّ یقین، خلاصه استخوان بندی مواعظ رسولان را از عهد جدید معین نمود.

آیا میتوان تعالیمی را که بتازه ایمانان اولیه میدادند فرمول بندی نمود و از اینراه اخلاقیات مسیحی را تعیین ومشخص کرد؟ اگر بچنین کاری موفق بشویم خواهیم توانست که چگونگی زندگی مسیحیان قرن اول را در محیط های نامساعد و مخالف و غیر مسیحی درك نمائیم. آنگاه شاید بما ثابت شود که وضع زندگی آنها آنقدر ها هم که ما فکر میکرده، و شاید بکنیم، دور ازوضع زندگی ما در این عصر نباشد، بلکه شباهت کامل در بین آنها وجود دارد. شاید کسانیکه رسالات را دقیقاً مطالعه کرده باشند باین

نکته برخورده اند که چند قسمت در اغلب رسالات پیدا میشود که بسیار شباهت بهم دارند. علّت این شباهت را معمولا اینطور شرح میدادند که آن قسمتها را از یکدیگر قرض کرده اند. ولی یك فرضیه جالب توجه اینست که همهٔ آنها یك مأخذ ومنبع مشترکی داشتند که ازآن نقل وقول مینمودند و آن مأخذ مجموع تعلیماتی بود که به «حق جویان» خود قبل ازتعمید میدادند.

زمینهٔ قبلی اغلب این «حق جویان» بُت پرستی بود. این فرضیه اولین بار بوسیلهٔ دکتر کارینگتن (۱) نامی پیشنهاد گردید که ما در اینجا بطور خلاصه آنرا بیان میکنیم:

قسمت های واضح درعهد جدید، که حاوی تعالیم فوق الذکر میباشند عبارتند از:

کولسیان ۳: ۸ـ۴: ۱۲ افسسیان ۴: ۲۲ ـ ۶: ۱۹

۱ پطرس ۱: ۱ ـ ۴: ۱۱ یعقوب ۱: ۱ـ ۴: ۱۰

"دکتر کارینگتن" مشاهده کرده است که دنبالهٔ افکار مربوط بموضوعات مختلفه در هریك از قسمتهای بالا پیگیری شده وامروزه میتوان آنها را بیرون کش کرد. نامبرده با کمی جرح و تعدیل درترتیب آنها بوجود شش نوع فکرمختلف در قسمتهای بالا اشاره مینماید که در اینجا بنظر خوانندگان محترم میرسد:

---

1. Dr. P. Carrington, The Primitive Christian Catechism.

موضوع	کولسیان	افسیان	پطرس	یعقوب
خلقت تازه یاتولد تازه	۳ : ۱۰	٤ : ۲٤	۱ : ۲۳	۱ : ۱۸
دور کردن گناهان	۳: ۸ـ۹	٤:۲۵و۳۱	۲ : ۱	۱ : ۲۱
پرستش خدا	۳: ۱٦ـ۱۷	۵:۱۸ـ۲۰	۲ : ۵	۱ : ۲۷
مطیع بودن	۳:۱۸ببعد	۵ : ۲۱ ببعد	۲:۱۳	٤:٦ـ۱۰
مواظب بوده دعا کنید	٤: ۲ـ۳	٦: ۱۸	٤ : ۷	—
مقاومت کرده پایدار بمانید	٤:۱۲	٦:۱۱ـ۱٤	۵: ۸ـ۱۲	٤:۷قسمت دوم

اکنون یکی از قسمتهای بالا را بدقّت مطالعه کرده خواهیم دید که تعالیمی که به جدید الایمانان در کلیسای اولیه میدادند چگونه بوده است. آنگاه سعی خواهیم کرد که وجه اختلافات تعالیم مسیحی را با آن تعالیمی که از یهود درمسیحیت وارد شده بود پیدا کنیم.

اگر قسمتهای مکتوب در"کولسیان" را بطریقیکه در بالا ترتیب داده شده است مطالعه کنیم به موضوعات زیر برمی‌خوریم:

« و تازه را پوشیده اید که بصورتِ خالقِ خویش، تا بمعرفت کامل، تازه میشود. لیکن الحال شما همه را ترك کنید، یعنی خشم و غیظ و بدخوئی و فحش را از زبان خود. بیکدیگر دروغ مگوئید، چونکه انسانیت کهنه را با اعمالش از خود بیرون کرده اید.

کلام مسیح درشما بدولتمندی و بکمال حکمت ساکن بشود، و یکدیگر را تعلیم و نصیحت کنید، بمزامیر و تسبیحات وسرودهای

روحانی،و با فیض در دلهای خود خدا را بسرائید،و آنچه کنید در قول و فعل،همه را بنام عیسی خداوند بکنید،و خدای پدر را بوسیلهٔ او شکر کنید .

ای زنان شوهران خود را اطاعت نمائید،چنانکه در خداوند میشاید . ای شوهران زوجه های خود را محبت نمائید وبا ایشان تلخی مکنید ـ ای فرزندان والدین خود را در همه چیز اطاعت کنید،زیرا که این پسندیده است درخداوند . ای پدران فرزندان خود را خشمگین مسازید مبادا شکسته دل شوند .

ای غلامان آقایان جسمانی خود را در هر چیز اطاعت کنید، نه بخدمت حضور،مثل جویندگان رضامندی مردم،بلکه با خلاص قلب،و از خداوند بترسید . و آنچه کنید،از دل کنید،بخاطر خداوند، نه بخاطر انسان . چون میدانید که از خداوند پاداش خود را خواهید یافت،چونکه مسیح خداوند را بندگی میکنید . زیرا هر که ظلم کند، مکافات ستم ظلم را خواهد دید   ظاهر بینی وجود ندارد . ای آقایان با غلامان خود عدل و انصاف را بجا آرید،چونکه میدانید که شما را نیز آقائی هست در آسمان دردعا مواظب باشید و در آن با شکر گذاری بیدار باشید و برای ما نیز دعا کنید . . . . . .

. . . در تمامی ارادهٔ خدا کامل و متیقن شوید . »

چنانکه ملاحظه میگردد ، زندگی مسیحی،حیاتی جدید وتولد

تازه ئی بود. آن زندگی پیشین که عبارت بود از جدائی از خدا، اکنون درگذشته است. بارِ گناه پای صلیب بجا گذارده شده و گناهکاریکه احساس میکند آمرزیده شده است رؤیای جدیدی از خدا مشاهده مینماید که ویرا بعبادت و اطاعت وامیدارد. این رؤیای تازه از تقدّس و پاکی خدا، منجر باین میشود که مسیحی مخلوق بودن خود را تشخیص داده توکّل و وابستگی خود را بخدا و بدیگران اذعان نماید. از این راه فروتنی و تواضع اصلی و حِلم واقعی در او ایجاد میگردد، که او با میل از بالاتران و مسئولین، خواه دولت، خواه کارفرما، وخواه والدین، اطاعت نماید. به مسیحی جدیدالایمان نیز گوشزد شده است که وطن اصلی او در آسمان است و زندگی او در این دنیا مُوقّت و درگذراست. او باید مواظب بوده دعاکند، تا درآزمایش نیفتد و باآن نیروهائی که میخواهند با جفا و زجر کلیسا را تضعیف کنند مقاومت نماید.

در وهلهٔ اول چنین بنظر میآید که تعلیمات اخلاقی فوق الذکر اصولاً با شریعت یهود چندان تفاوتی ندارد و شاید قسمت اعظم این گفتار درست باشد. وجود "ده حکم" و "مزامیر" درکتاب دعای کلیسای انگلیکان و استعمال این دو درپرستش مسیحی خود دلیل این مدعی است که اخلاقیات مسیحی مرهون شریعت یهود است. ولی با کمی دقت معلوم میگردد که کیفیّت متمایز تعالیم اولیه مسیحی "روحیه مخصوصی" بود که در مسیحیان جدیدالایمان تزریق

میگردید. مخصوصاً دو نکته را باید بیش از سایر نکات اهمیت داد :

اول آنکه نیروئی که مسیحی را وادار میکند که مطابق آن تعالیم، زندگی کند، از خود مسیح صادر میشود، واین حیات جدید ثمرهٔ کلام او است. رُشد ونمو درزندگی روحانی، مگر با حضور او، غیرممکن است. دوم آنکه شخصیّتی که چنین رُشد و نمو کرده وسیرت اوسرشته شده است، فروتنی وتواضع ازصفات بارز او خواهد بود. یکفرد مسیحی، در مراودات شخصی، همیشه باید خوبی طرف را بیشتر از خوبی خود، و قبل از آن، خواهان باشد و باید از قضاوت کردن دیگران خود داری نماید، زیراکه خود آگاه است که چقدر شخصاً احتیاج بآمرزش دارد. تواضع نقطه مقابل تکبر و اهمیت شخص است، واین نوع تواضع، تنها بوسیلهٔ توکّل کامل بخداوند در اشخاص ایجاد میشود، و بقدری در زندگی خود عیسی مسیح ظاهر است، که پیروان اوهمیشه آنرا از صفات مخصوص وبارزترین خصوصیت های مسیحی دانسته اند. بین "تواضع ذهنی" و "مسکنت روحی" و آن "محبتی" که بی نظیر بوده و تنها محصول فیض خدا میباشد و مسیحیان اولیه مجبورشدند لغت «اگاپه» را برای آن بکار ببرند، رابطهٔ بارزی برقرار میباشد. در رسالهٔ اول پولس رسول بقرنتیان باب سیزدهم آنجا که حضرت پولس مشخصات «اگاپه» را بیان میکند در آیه چهارم مکتوب است : «محبت حلیم و مهربان است. محبت حسد نمیبرد. محبت کبر و غرور ندارد.»

بعضی ها مانند "نیچه" آن فیلسوف مشهور آلمانی این "محبت" مسیحی را مورد انتقاد قرار داده و گفته است که چون حلم و مهربانی، فروتنی ایجاد میکند، برای بشر عار است که اینطور ضعیف باشد. ولی اتفاقاً این گفتار "نیچه" کاملا برخلاف حقیقت است. آن محبتی که در مسیح بروز داده شد و کم وبیش بطور ناقص درکسانیکه زندگی خود را زیر نفوذ او قرار دهند بروز داده خواهد شد، نه فقط ضعف ایجاد نکرد و نمیکند، بلکه تولید نیروی عجیبی کرده ومیکندکه آدمی را مات ومبهوت میسازد. یعنی نیروی صبروشکیبائی بی پایان؛ نیروی تحمل درد و رنج و سختیهای جسمی، و نیروی شجاعت و شهامتی که از مرگ نیز هراسی نخواهد داشت.

کیفیتی که مردم در مسیح مشاهده کردند ضعف نبود، بلکه قوت و قدرت فوق از تصور بود و این قوت و قدرت نه فقط جسمانی وفیزیکی بلکه بیشتر اخلاقی و روحی بود.

صفت ممتاز و مشخص جامعه مسیحی این بود: "از افرادی تشکیل شده است که همدیگر را محبت می نمایند. این محبت چنانکه دیدیم مولود تسلیم محض بمسیح بود. از اینجهت است که مسیحیت نمیتواند تنها بقوانین دینی و شرایع و تعالیم اخلاقی اکتفا نماید. در سالهای اخیر عده ئی سعی کرده اند که باجمع آوری قوانین مذهبی و تعالیم اخلاقی مسیحائی، روش زندگی مسیحی را معین نمایند.

ولی باید دانست،که مسیحیان اولیه درمواعظ رسولان بدوچیز بیش از هر موضوع دیگر اهمیت میدادند،وآن دو رابطه با مسیح و با یکدیگر بود. وقتیکه مردم مسیح را بشناسند،هرروزه چیزهای تازه تری راجع باو یاد میگیرند،و روز بروز همانند او میشوند. و یا بعبارت دیگر، الهیات و اخلاقیات درمسیحیت،قبل از مصاحبت ورفاقت با شخص خود مسیح،معنائی نخواهد داشت،ولی بعد ازآن خود بخود ایجاد میگردد. علّت و سبب رفـاقت و شراکتی که مسیحیان با یکدیگر دارند اینست که آنها با مسیح رفاقت و دمسازی دارند.

میتوان گفت که آدمی دو قسم رابطه دارد،یکی عمودی یعنی رابطهٔ با خدا،ودیگری اُفقی یعنی رابطه با اشخاصِ دیگر. رفاقت وشراکت حقیقی درمیان مردمی وقتی برقرارمیگردد که رابطهٔ عمودی برقرارباشد. اگراین رابطه برقرارنباشد،جامعه بشری دیگرعبارت از مشارکت و رفاقت و دمسازی نخواهد بود،بلکه سازمانی خواهد بود که با افراد مانند سلولهای بدن آدمی رفتار خواهد شد،و یا مانند قطعات مختلفهٔ یك ماشین،که هر دو این دو نوع،جامعه دیکتاتوری و توتلیتریان (۱) خواهد بود که در این عصر یکی بشکل نازیسم ودیگری بشکل کمونیسم بوجود آمده است. هردو این دو روش برای این بوجود آمده است که آدمی خواسته است جامعه ئی برای خود درست کند،چون بقول معروف بشر حیوان

1. Totalitrian

اجتماعی است . ولی هیچکدام از این دوروش فوق موفق نخواهند شد، زیراکه نه فقط هیچکدام به عمق طبیعت آدمی پی نبرده اند، بلکه یکی از آن روش ها یعنی نازیسم و یا ملّیت پرستی شدید، خدا را یك بُت ملی جلوه داده میخواهد او را آلت دست سازد و دیگری خدا را ابداً بحساب نمیآورد .

برخلاف این دو روش فوق که زائیده فکر بشری و باصطلاح انجیل « از این جهان است »، مسیحیت معتقد است که هر فرد بحکم اینکه یك فرد بشر است، شخصّیت دارد و شخصیت او ارزش داشته مقدس است، و جامعه عبارتست ازجمع این شخصّیتها، و رابطهٔ آنها با یکدیگر، نمیتواند ماشین وار ودیکتاتور مآبانه باشد، بلکه بایستی "شخصی" باشد، و آن نیروئی که جامعه ئی را تشکیل داده آنرا نگاه میدارد همان "محبت الهی" است ؛ برای همین است که مردم را میتوان "بشر" نامید و اگرنه نام "بشر" نمیتوان بآنها گذارد و آنها از انسانیت خارج خواهند بود . اگر جامعه ئی خدا را فراموش کرده او را بکنار بگذارد بطور یقین استثمار ـ ستم و بیدادگری در آن جامعه ایجاد خواهدگردید زیراکه سرچشمهٔ محبت در آدمی نیست بلکه درخدا است . آدمی بدون خدا قادر بمحبت کردن نیست .

اما نباید فراموش کرد، که راه محبت، راه تحمل سختی ودرد و رنج میباشد، و جامعه ای که محبت در آن حکمفرما است باید

حاضر باشد در مصائب و سختیهای روزگار شرکت نماید .

سابقاً دیدیم که آموختن این درس در عهد عتیق، چقدر دشوار بود . حتی پس از اینکه مظهر محبت و یا محبت محض، یعنی عیسی مسیح بدون هیچ تقصیر وذره ئی گناه، متحمل درد و رنج شده برروی صلیب جان داد هنوز برای مسیحیان دشوار است قبول کنند که لازمهٔ محبت و پرهیزکاری تحمل درد و رنج و سختی است و حال اینکه این موضوع کراراً در رسالات آمده است ؛ از جمله :

« الان از زحمتهای خود در راه شما شادی میکنم و نقصهای زحمات مسیح را در بدن خود بکمال میرسانم برای بدن او که کلیسا است . » (کولسیان ۱ : ۲٤) .

« زیرا باندازه ئی که دردهای مسیح در ما زیاد شود بهمین قسم تسلی ما نیز بوسیلهٔ مسیح میافزاید . »

(۲ قرنتیان ۱ : ۵)

« و تا او را و قوت قیامت ویرا و شراکت در رنج های ویرا بشناسم وبا موت او مشابه گردم . » (فیلیپیان ۳ : ۱۰)

« زیرا که بشما عطا شد، بخاطر مسیح، نه فقط ایمان آوردن باو، بلکه زحمت کشیدن هم برای او، و شما را همان مجاهده است که در من دیدید، و الان هم میشنوید که در من است . »

(فلیپیان ۱ : ۲۹)

فهم این عبارت که حضرت پولس استعمال کرده است یعنی

« بکمال رساندن نقصهای زحمات مسیح را در بدن خود » همیشه دشوار بوده است. بدیهی است که حضرت پولس ابداً شکی نسبت بانجام کار مسیح بر روی صلیب ندارد. پیروان عیسی ابداً لیاقت و شایستگی آنرا که باعث کفاره گناهان دنیا بشوند ندارند. ولی این حقیقت نیز معلوم است، که اگر شخص، با روح مسیح تحمل درد و رنج نماید، در نتیجه آن یك نیروی نجات بخشی ایجاد خواهد گردید. مسیحیت بتجربه ثابت کرده است که « در مسیح بودن » یعنی « شریك مصائب او بودن » و بآن نسبتی که شخص در مسیح است بهمان نسبت نیز در مصائب او شریك خواهد بود. چگونه ممکن است که یکفرد مسیحی که نسبت باحتیاجات مردم دارای کمترین حساسیت روحی باشد بدنیا نگاه کند و متأثر نگردد؟ عیسی باورشلیم نظر کرده گریان گردید زیرا که « آنچه که باعث سلامتی آن میشد نمیدانست. » (لوقا ۱۹ : ۲٤).

این موضوع هنوز حقیقت دارد. مردم طالب و خواهان صلح هستند، ولی حاضر نیستند شرایطی را که با آن صلح امکان پذیر است بپذیرند. در دنیا آنچه باعث درد و رنج جامعه مسیحی است اینست که مردم ازجواب دادن بمحبت ورحمت خدا امتناع میورزند. صلیب مسیح علامتی است در تاریخ جهت اندوه محبت جاودانی خدا برای سرسختی و کله شقی بشر. تا دنیا دنیا است و تاریخ ادامه دارد « بقیه وفادار » باید دراین اندوه ومصیبت شرکت نماید.

آنچه گفته شد در طرز زندگی واستراتژی اقلیت مسیحی تأثیر بسزائی دارد. « اینك من شما را چون بره ها در میان گرگان میفرستم. » (انجیل لوقا۱۰ : ۳) اگر کلیسا روش "دنیا" را درزندگی بکار ببرد دیگر برای دنیا شهادتی نخواهد بود. آنوقتی برای منظور خدا خدمتی خواهد کرد که « راه بهتری را نشان دهد. » ضعف کلیسا دراینجا است که دائماً در این تجربه میفتد که بادنیا بسازد و باصطلاح همرنگ جماعت شود. قوّت کلیسا در اینجاست که روح القدس در هر نسلی اشخاصی را هدایت میفرماید که خود را بخدا تسلیم کرده بمحبت او جواب داده بخواهند فقط و فقط او را اطاعت نمایند و خرج را بحساب نیاورند. بزرگترین خدمتی که کلیسا میتواند بعالم بشریت که در سختی و بدبختی بسر میبرد انجام دهد، اینست که عملاً ثابت کند که کسانیکه خود را "قوم خاص" و "برگزیده" خدا میدانند، راه پیروزی بر طمع و "تفوق نژادی و ملی" و "شهوت مقام" را کشف کرده آنرا ممکن‌الوصول گردانیده اند. ونیز نشان دهد که اگر بشر بوسیلهٔ روح خدا نجات یافته هدایت شود، میتواند با محبّت و یگانگی یك جامعه حقیقی تشکیل دهد.

اگر آنچه راجع بوظایف یك "بقیه وفادار" و یا "اقلیت" ذکر کردیم صحیح باشد، بدیهی است که « قوم خدا » و یا "کلیسای مسیح در دنیا" وظیفه ممتاز و مشخصی دارد و آن اینست که باید برای

دنیا نمونه و شهادت باشد، شهادتی که از موانعی مانند اختلافات ملی و طبقاتی و نژادی بگذرد. باید دائماً در دعا باشیم و از او بخواهیم که خدا قومی برای خود مطابق میل و ارادهٔ خود بپروراند تا راه را برای آمدن او مهیا سازند. ازوظائف حتمی «بقیه وفادار» است که به ندای خدائی که آنها را خوانده است پاسخ داده نسبت بآن وفادار بمانند. با آنها نیست که از او بازخواست کرده بخواهند و یا حتی امید داشته باشند که تمامی اراده و منظور های او را درك کنند، بلکه با آنها است که با ایمان درهمان راهی که او برایشان معین کرده است و در همان قدر نوری که او برایشان میتاباند قدم بزنند.

(۵)
همکاران با خدا

اگر آنچه که تا بحال گفته ایم مورد قبول واقع شود کلیسای مسیح عبارت خواهد بود از جمیع اقلیت های بزرگ و کوچکی که در سرتاسر عالم، یا در محیط کاملاً مخالف، و یا در محیط سرد و بی تفاوت بحیات خود ادامه میدهند. این وضع نه فقط مخصوص این زمان است بلکه در گذشته نیز چنین بوده است.

در "عهد جدید" بمسیحیانی که در امپراتوری روم میزیستند و در زیر تسلط آن دولت بودند گفته میشد که ایشان غریب وبیگانه وشهرنشین شهر خدا میباشند. درقرون وسطی درعین آنکه فساد غلبه کرده و تمدن روبزوال میرفت، دیر های مسیحی، مراکزی بود که حیات و نور مسیح در آنجا ها کم و بیش میدرخشید و برای نسل های آتی حفظ میگردید.

در اغلب نقاط دنیا، امروز کلیسای مسیح، یك اقلّیت کوچکی است، که در میان محیط مخالف و نامساعدی قرار گرفته است. عقیده بترقی پی گیر وحتمی واعتقاد به "سیر تکامل" و روحیه "خوش بینی" که در اواخر قرن نوزدهم سخت شیوع پیدا کرده بود در کلیسا نیز بی تأثیر نبوده است، زیراکه کلیسائیان تصوّر کردند که انجیل مسیح بسرعت سرتاسر عالم را فرا خواهد گرفت! امروزه دیگر

اینگونه خوش بینی ها ما را بوجد نمیآورد. وقتیکه یکباره میلیونها میلیون نفوس که قسمتی ازعالم مسیحیت را تشکیل میدادند بسوی خدا نشناسی و بُت پرستی رفته مسیحیت را فراموش نمایند، با بن حقیقت پی میبریم که هرنسل تازه ای، باید برای خود، مسیحیت را کشف کرده، افراد آن نسل شخصاً بمسیح ایمان بیاورند زیرا ایمان خود بخود از نسل به نسل دیگر منتقل نمیشود. امروزه که لامذهبی و خدا نشناسی و روشهای مخالف دیگر سرتاسر دنیا را فراگرفته و سطح روحانیت و اخلاقیات تنزّل کرده، شاید بیش از هر روز دیگر لازم است که کلیسای مسیح بطورکلّی در عالم بیاد بیاورد که خدا بوسیله یك عده کم وکوچك میتواند دنیا را از هلاکت و گمراهی محض نجات دهد زیراکه این روش همیشگی خدا بوده است.

دقّت در تاریخ «بقیه وفادار»، این امر را بما ثابت کرده است که کیفیّت بیش از کمیت اهمیت دارد. چنین بنظر میرسد که یکی از نوامیس طبیعت اینست که ترّقی، چه در امور مادی، و چه در امور معنوی و روحی، یکباره و یکنواخت ایجاد نمیشود، بلکه در هر قسمت باید پیشقدمانی پیدا شوند که در محیط و درقسمت خود بدرخشند وپیش بروند وبقّیه را بعقب خود بکشانند.

با اینکه چنین بنظر میرسد، که انبیاء زودتر از زمان خود تولد شده، و از اینجهت اغلب اوقات، معاصرین آنها ایشان را

نشناخته، مورد سوء تفاهم مردم واقع شده اند، و بیشتر آنها را شهید کرده و ارزش حقیقی آنها سالها پس از مرگشان معلوم شده است؛ با همهٔ اینها، خدا بوسیلهٔ آنها، با بشر سخن گفته است، و ذات و مقصود خود را تا حدّی کشف گردانیده است، تا اینکه بشر بتواند خدا را شناخته در مقصود او با او همکاری نماید. مسیحیان عقیده دارند، که خدا بطور مستقیم و بی‌نظیری بوسیلهٔ عیسی مسیح که به "پسر خدا" مسمّیٰ است با بشر صحبت کرده است، و کلیسای حقیقی مسیح، از آن "جامعه وفادارانی" است که در طیّ قرون متمادی، او را استاد و خداوند خود قبول کرده، و بوسیلهٔ طرز سلوک و زندگی خود در دنیا، به نیروی روح القدس، که بآنها عطا کرده است، شهادت داده و میدهند.

در اروپا که مسیحیت بیش از هر جای دیگر، برای مدت زیادی، نفوذ داشته است و در بنای تمدنی که ما آنرا تمدن مغرب زمین مینامیم تأثیر کرده است، اختلاف بین جامعه مسیحی یعنی اقلیت وفادار و اکثریتی که ارزشهای اخلاقی مسیحیت را قبول کرده، ولی مؤمن حقیقی نیستند، چندان فاحش نیست. بعبارت دیگر، روش مشخص و متمایز زندگی مسیحائی تقریباً از بین رفته است، بطوریکه میتوان گفت دیگر چندان تفاوتی بین مسیحیان و اشخاص عادی متمدن موجود نمیباشد. ولی واضح است که این وضعیت نمیتواند چندان دوامی داشته باشد. اگر در بین یك

ملّت اقلیتی موجود نباشد که اصولا نسبت به نتایج زحمات خود ناراضی است و تشخیص ندهد، که توکّل کامل ایشان باید بخدا باشد و انجام ارادهٔ او مافوق هرچیز دیگراست، روحانیت و اخلاقیات آن ملّت بطورحتم رو به کاهش رفته زوال خواهد پذیرفت.

یکی از شعرای معاصر و معروف انگلستان بنام "إلیات" (۱) در یکی از آثار خویش بین « جامعه مسیحی » و «جامعه مسیحیان» فرق هائی قائل است. وی معتقد است که « جامعه مسیحی آن جامعه ایست که در آن یکرشته قوانین اجتماعی و مذهبی جهت زندگی ورفتار موجود باشد. » بعبارت دیگر، یك موازین اخلاقی در آن جامعه وجود دارد، که با تار و پود قوانین و رسوم آن جامعه، درهم آمیخته شده است. کشورهای اروپای غربی وممالك دیگری را که تمدن خود را از آنها کسب کرده اند، میتوان جامعه های مسیحی نامید. اما « جامعه مسیحیان » بنظر آقای إلیات « نه دسته های محلی هستند، و نه کلیسا، بهیچ نحوی از انحاء، مگر آنکه بگوئیم، « کلیسائی داخل کلیسا ». در اینجا مسیحیانی یافت میشوند که از روی إشعار و با فکر، مسیح را در زندگی خود پیروی مینمایند، بخصوص آنها که ذهناً و روحاً بر دیگران تفوق دارند. »

همین جامعه مسیحیان است که بعقیدهٔ ما « بقیه » نجات دهنده میباشد.

---

1. T. S. ELIOT, The Idea of A Christian Society صفحه ۳۴ و ۳۵

ولی باید مواظب بود، عبارت تفوق ذهنی وروحی بردیگران عبارت خطرناکی است. بخوبی میدانیم که چقدر آسان است که اقلیت های مذهبی بخود متوجه شده، متکبّر و از خود راضی بشوند. در حقیقت اگر چنین تشخیص دادند که روحاً بر دیگران تفوق دارند، دیگر ارزش روحانی نخواهند داشت، و از بین خواهند رفت. حضرت پولس، که خود در بهترین محافل عقلی و روحی زمان خود تربیت یافته و یکی از آنها شده بود، بخوبی از این تجربهٔ خطرناك واقف است. «از خود، جز از ضعف های خویش فخر نمیکنم، زیرا اگر بخواهم فخر بکنم، بی فهم نمیباشم، چونکه راست میگویم، لیکن اجتناب میکنم، مبادا کسی در حق من گمانی بَرد فوق از آنچه در من بیند یا از من شنود.»

(۲ قرنتیان ۱۲: ۵-۶)

در مسیحیت فقط یکنوع پیشوا بودن و رهبری وجود دارد و آن پیشوائی است که با محبت و خدمت انجام بگیرد، و در نتیجه تقدیم وتسلیم شخص بخدا، واطاعت ندای الهی، جهت انجام منظور های او، ایجاد گشته الهام گرفته باشد. کسانیکه قبول کرده اند چنین رهبرانی باشند، بخوبی ازضعف ها و نواقص خود آگاه میباشند.

عقیدهٔ ما بر اینست که فقط خدا میداند چه کسانی عضو «کلیسا در داخل کلیسا» میباشند، هرچند گاه وناگاه، بعلّت مخالفت های شدید و نیرو های شرارت در دنیا این کلیسا بوجود خود بطور

مخصوصی اشعار پیدا میکنند. تنها عاملی که مانع میشودکه «جامعه مسیحیان» متوجه خود شده از خود راضی و متکبر بگردند، آرزوئی است که باید در آنها شعله ور باشدکه دیگران را بشراکت و رفاقت با خود دعوت کنند. هرگونه کوششی که بعمل آید، تا عضویّت خود را محدود نمایند، برای اینکه منتخب و برگزیده بمانند، منجر بزوال و مرگ آنها خواهد گردید.

و نیز باید دانست که «بقیه وفادار مسیحی» انتظار ندارد که موافقت دنیا را بخود جلب کند، زیراکه برعکس، هرچه نزدیکتر بخداوند خود بوده بهتر بحقیقت شهادت دهد، بیشتر دنیا از او نفرت خواهد داشت. چنانکه رساله اول پطرس در پیام خود به مسیحیانی که تحت جفا و شکنجه بودند میگوید.

«ای حبیبان تعجب منمائید از این آتشی که در میان شما است و بجهت امتحان شما میآید که گویا چیزی غریب برشما واقع شده باشد، بلکه بقدریکه شریك زحمات مسیح هستید خشنود شوید، تا در هنگام ظهور جلال وی شادی و وجد نمائید.»

(۱ پطرس ۲ : ۱۲-۱۳)

بنظر ما عجیب میآید که اشخاصی که زندگی خود را برای کمك بدیگران صرف مینمایند، متحمل درد و رنج و زحمت بشوند، ولی حقیقتاً تعجب در این باید باشد که هنوز درست درك نکرده ایم، که کلیسا دعوت شده است که گناهان دنیا را

بر خود حمل کند و در بدن خود برای گناه دنیا متحمل درد و رنج بگردد. اگر کلیسا بنحوی از انحاء بدن مسیح است باید در نظر داشت که بدن مسیح مصلوب است.

☆☆☆

شاید درسی که از تاریخ « بقیه وفادار »، بیش از هر درس دیگر، باید بیاموزیم، اینست که توکّل و اطمینان آن، فقط و فقط بخود خدا است. چقدر برای کلیسا آسان است که تمدن مغرب زمین را با انجیل مسیح برابر پنداشته سعی کند عوض موعظه بانجیل آنرا ترویج کند. چقدر آسان است که فکر کنیم که مسیحی کسی است که اعمال بدی از او سر نمیزند وخیلی قانونی ومهربان است و بآن اکتفا کنیم. چه بسا که کلیسا بعوض اتکاء بخدا پشت گرمی به نیرو و "پرستیژ" امپراتوری ها کرده و یا نظر بمنابع سرشار مالی مشکوکی داشته است!

چه بسا افکار رائج زمان و موازین اخلاقی و اجتماعی جهان که در علوم الهی کلیسا رخنه کرده، و کلیسا آمده است که خود را دنیا پسند جلوه دهد، حقیقت را از دست داده است! چه بسا که ملاحظات سیاسی کلیسا را مجبور باتخاذ روش های غیر مسیحائی کرده است!

در این روز ها داوری از خانهٔ خدا شروع شده است وموقعی

است که گندم از کاه و سبوس جدا میگردد. در روزهائیکه در پیش است، از یك لحاظ، مسیحی بودن، آسان تر میگردد، و از لحاظ دیگر، مشکل تر. آسان تر، از اینجهت که وجه تمایز کلیسا و دنیا بسیار روشن تر و واضح تر خواهد گردید. موقعی میرسد که مجبوریم بین "کلیسا" و "دنیا" یکی را انتخاب کنیم. در آن موقع آسان نخواهد بود که مانند پیش درهر دو، زندگی کنیم و خدا و "ممونا" را باهم خدمت نمائیم. مشکل تر، از اینجهت که مسیحی بودن، فداکاری زیادتری لازم خواهد داشت؛ از هم اکنون، آتش جفا در بعضی نقاط دنیا زبانه کشیده شعله ور شده است. از اینجهت اساس ایمان وزندگی ما بسنگ محك خواهد خورد و امتحان خواهد شد.

ولی حقیقت باقی و پا برجا **واستوارمی ماند**. خدا صاحب و خداوند تاریخ است و برما است که بصدای او گوش گرفته آنرا اطاعت کنیم، و نتایج آنرا بپذیریم. «بقیه وفادارمسیحی» بآینده با نظر امید مینگرد، زیرا که میداند، خدا شکست ناپذیر است و منظورش بالاخره عملی خواهد شد، حتی در برابر گناه بشری! و نیز میداند که در موقع خود ادعا های خود را باثبات خواهد رسانید، بطوریکه تمامی بشر او را در جلال پادشاه پادشاهان و ربّ الارباب خواهند دید. و نیز تشخیص خواهد داد که در صلیب مسیح پیروزی نهائی انجام شده و ثمرات این پیروزی را در

زندگی خود خواهد چشید. اعضاء این «بقیه وفادار مسیحی» با خدمتگذاری صادقانه و جان نثاری خاضعانه سعی میکنند بوسیلهٔ رساندن مژده انجیل بمردم ایشانرا در شراکت و رفاقت خود وارد نمایند و بدینوسیله بر عده خود بیفزایند و از این رهگذر راه را برای پایان کار یعنی موقعیکه «سلطنت جهان از آن خداوند ما و مسیح او» میشود آماده نمایند.

پایان

۲۹ اسفند ۱۳۳۰ (۲۰ مارس ۱۹۵۲)